Webcams,
vriendjes &
andere r@mpen

In deze serie zijn verschenen:

Ringtones, ouders & andere r@mpen

Webcams, vriendjes & andere r@mpen

Webcams, vriendjes & andere r@mpen

Marlies Slegers

Nur 283 / GGP021001

Opmaak binnenwerk: Ruig

Bij Koninklijke Beschikking
Hofleverancier

www.kluitman.nl

Snoepie12

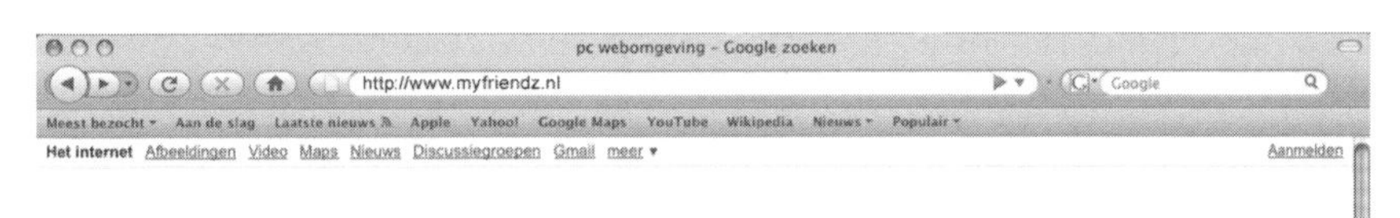

Welkom op MyFriendz.nl,

de leukste profielsite ter wereld! Maak snel je eigen profiel aan, verzamel Knuffelz en ontmoet elkaar op MyFriendz.nl! Gratis registratie! Meld je NU aan, ontmoet oude vrienden en maak nieuwe. Word lid van je eigen MyClubs en deel je interesses met andere **MyFriendz**.

Kaat scrolde naar beneden. Wat een geweldige site! Zo kon je al je vrienden – als zij ook een profiel aanmaakten – ontmoeten. Net een soort vriendenboekje, maar dan online. Je kon er een eigen profiel op zetten, elkaar berichtjes sturen, zelfgemaakte filmpjes en foto's plaatsen, met elkaar chatten... En er waren nog allerlei andere leuke opties. Ze klikte op **Maak een nieuw profiel aan**.

Als eerste moest ze een leuke naam verzinnen. Ze beet op haar lip en staarde naar haar bureau. Het lag bezaaid met kaartjes, foto's, kleine briefjes van Fleur en Frederique, een lipgloss, pennen, gummen en snoeppapiertjes. Hoe zou ze zichzelf nu noemen? Gewoon 'Kaat' was een beetje saai. Een leuke naam die iets over haar zou zeggen. Iets over haar hobby's of waar ze van hield.

Haar ogen dwaalden nog een keer langs alles op haar bureau. Snoepjes. Die vond ze wel lekker. En roze koeken. Maar Rozekoek12 klonk ook niet echt... Snoepje12 dan? Of Snoepie12. Ja! Wat een leuke naam.

Ze zette de radio zacht aan. Hé, dat was de single van Rozella. Geweldig! Rozella had het laatste seizoen van Teen Star gewonnen en ze had een single uitgebracht. Kaat luisterde en neuriede mee, terwijl ze verder typte.

Naam: Snoepie12
Leeftijd: 12
Woonplaats:

Kaat twijfelde even. Wel of niet haar woonplaats opgeven? Ach, dat kon toch geen kwaad? Bovendien, ze had al een andere naam, Snoepie12, dus kon ze makkelijk haar woonplaats invullen.

'Nooit je gegevens zomaar op internet zetten,' had haar vader laatst nog tegen haar broer, Luuk, gezegd, toen hij had meegedaan aan een enquête. 'Voor je het weet, sturen ze je allerlei rotzooi en word je gebeld door bedrijven die je telefoonnummer uit zo'n vragenlijst halen.' Maar wie zou er nou naar Snoepie12 bellen? Ze grinnikte en ging door met invullen.

Favo tijdsbesteding: lekker kletsen met m'n vriendinnen Fleur en Frederique, shoppen, zingen, tekenen. Make-up uitproberen.
Favo vakantieland: Curaçao, Aruba, Frankrijk, Disneyland (maar dat is geen écht land) en Italië. En telt schoolkamp ook als vakantie? Want we gaan straks weer op kamp, yes!

Ze grijnsde. Binnenkort was het weer zover. Schoolkamp. Ze kon bijna niet wachten. Het was het leukste van het hele jaar en gelukkig organiseerde haar school vaak een kamp. Ze las verder.

Er waren nog meer categorieën. Favoriete muziek, boeken, eten.

Ze kon nog invullen waar ze op dat moment was. Ze kon op zoek gaan naar allerlei clubjes, en daar dan lid van worden. En dan verschenen de namen en profielfoto's van die MyClubs op je pagina.

Ze zocht alvast een club op. Dat kon door gewoon een woord in te typen en dan aan te geven **zoeken in MyClubs**. Ze dacht even na. Welke club zou ze opzoeken? O, natuurlijk... Teen Star. Ze typte het in en daar verschenen zo al een stuk of tien clubjes waar fans van Teen Star zich aangemeld hadden. Ze koos het clubje met de meeste leden, I♥Teen Star, en meldde zich aan. Het logo van de MyClub verscheen op haar profielpagina. Leuk!

Nu had ze alles ingevuld. Het volgende dat ze moest doen, was een achtergrond maken. Ze kon kiezen uit allerlei achtergronden die door de site werden aangeboden of zelf een achtergrondplaatje uploaden. Uploaden? Ze fronste haar wenkbrauwen. Wat betekende dat eigenlijk?

Ze hoorde haar broer de trap op lopen.

'Luuk! Hé Luuk, kom eens. Weet jij wat uploaden is?'

Luuk stond in de deuropening. 'Ja, een plaatje of een stuk tekst vanaf je eigen computer op een site of in je mail zetten. Hoezo?'

'Ik ben bezig met MyFriendz. En ik moet dus een achtergrond maken...' Kaat draaide zich weer om naar het beeldscherm.

'O. Mag dat van pap en mam? Zo'n profiel aanmaken?'

'Waarom zou dat nou niet mogen?' Kaat draaide zich weer naar hem om.

Luuk was twee jaar ouder dan zij. Ze leken best op elkaar: allebei donker haar dat krulde, groene ogen en dezelfde lach. Ze wist dat haar vriendinnen Luuk een leuke jongen vonden. Irritant soms, want als ze met haar afspraken, hadden ze soms alleen maar oog voor Luuk. Vooral Frederique leek niet bij hem weg te slaan.

Luuk haalde zijn schouders op. 'Weet niet.'

'Heb jij er trouwens ook een?'

'Wat? Zo'n profiel? Nah, boeit me niet. Ik zie m'n vrienden wel gewoon op school of bij voetbal.' Hij kwam bij haar staan en keek naar het scherm. 'Ik help je wel even, als je wilt, met dat uploaden. Is niet zo moeilijk. Zoek jij eerst een foto uit die je leuk vindt.'

Samen bekeken ze de foto's die op de computer stonden.

Kaat wees naar een foto van zichzelf met Fleur en Frederique. 'Die is leuk. Doe die maar.'

Luuk ging zitten en binnen een paar tellen stond de foto als achtergrond op haar profielpagina. Geweldig!

'En nu moet je ook een foto hebben naast je gebruikersnaam,' zei Luuk. 'Een soort visitekaartje.'

Ze keken samen weer naar de foto's en Kaat wees er een aan die genomen was tijdens de wintersport.

Luuk zette ook deze foto bij haar profiel. Hij wees naar de knoppen en ze schreef het op. Dan kon ze het de volgende keer gewoon zelf doen. En dan kon ze haar foto's af en toe vervangen en er andere bij zetten onder het kopje **Mijn favo foto's en video's**.

'Zo. Die staan erop. Nu kun je ook nog aangeven wie deze foto's en dit profiel mogen zien.' Luuk wees naar een stukje tekst en klikte erop. 'Hier, wil je dat iedereen deze informatie mag zien, alleen leden van de site of alleen vrienden op je eigen pagina?'

'Iedereen!' zei Kaat enthousiast. Hoe meer mensen haar leuke foto's zouden zien, des te beter.

Luuk haalde zijn schouders op. 'Oké, moet je zelf weten. Ik zou het niet doen, want dan kan iedereen alles over je te weten komen.'

'Maar dat mag toch? Ik schrijf toch niet op welke kleur ondergoed jij draagt of zo? Of wat je bankrekeningnummer is?'

'Nee, maar iedereen kan nu al die informatie bekijken en je zo komen opzoeken. Je moet een beetje voorzichtiger omgaan met dit soort dingen, hoor. Pap zei het vorige week nog tegen me en hij heeft wel gelijk. Je moet je privacy beschermen.'

'M'n watte?'

'Privacy. De dingen van je eigen leven. Je gaat in een bus vol vreemden toch ook niet alles over jezelf vertellen? En dan haal je toch ook geen fotoalbum tevoorschijn zodat zij al je foto's kunnen bekijken? Ze zien je aankomen.'

'Duh... Nee, natuurlijk niet. Dat is heel anders, dat is in een bus!' Kaat begon te lachen. Ze zag het voor zich. Dag, ik ben Kaat en wilt u even mijn vakantiefoto's bekijken? Dat was toch echt héél anders, vond ze.

Luuk keek haar aan. 'Nou ja, je moet het zelf weten. Zo anders is het nou ook weer niet, als je er goed over nadenkt. Zeg niet dat ik je niet gewaarschuwd heb.' Hij schoof de stoel naar achteren. 'Ik ga huiswerk maken.'

'Bedankt voor het helpen, Luuk!' Kaat draaide zich weer om en keek trots naar haar pagina. Snoepie12. Zo, en dan ging ze vanaf morgen vrienden verzamelen. Heel veel vrienden. En Knuffelz! Want hoe meer Knuffelz, hoe populairder je was.

pc webomgeving - Google zoeken

http://www.myfriendz.nl

Meest bezocht Aan de slag Laatste nieuws Apple Yahoo! Google Maps YouTube Wikipedia Nieuws Populair

Het internet Afbeeldingen Video Maps Nieuws Discussiegroepen Gmail meer Aanmelden

Welkom op MyFriendz van:

Snoepie12 (0)

Leeftijd: 12
Woonplaats: Amsterdam
School: OBS De Klimroos
Groep: 8a
Mobiele nummer: geef ik niet (maar het begint met 06... ha ha.)

Favoriete tijdsbesteding: lekker kletsen met m'n vriendinnen Fleur en Frederique, shoppen, zingen, tekenen. Make-up uitproberen.
Favo vakantieland: Curaçao, Aruba, Frankrijk, Disneyland (maar dat is geen écht land), Italië. En telt schoolkamp ook als vakantie?. Want we gaan straks weer op kamp, yes!
Onfavo tijdsbesteding: huiswerk maken, kamer opruimen,
bij tante Els op bezoek gaan
Favo muziek: Rozella is zooooo coooool. HIP.
Favo eten: spaghetti, pizza, chocolade, dropveters, aardbeiveters, zuurtjes, kauwgomballen, roze koeken, frietje met, frietje zonder, appelmoes, ijs
Favo boeken: stripverhalen, van alles en nog wat
Favo films: romantische komedies
Favo merken: Diorra, ChopChop, Coco, Benzeen
Favo chillplekje: met Fleur en Frederique op een exotisch strand liggen.
Op de bank als het regent, met de open haard aan en een dvd op. Met pap, mam en Luuk op vakantie.
Waar ben je nu: thuis

Knuffelz: 0 (Spaar zo veel mogelijk Knuffelz. Je kunt ze verzamelen door je vrienden op je te laten stemmen.)
Vrienden: 0 (Je vriendenlijst is nog leeg – nodig snel je vrienden uit om zich ook op MyFriendz.nl aan te melden.)
MyClubs: I♥TeenStar

Klaar

Down Under

De jongen stond onhandig voor de klas. Hij had zongebleekt blond haar dat in stevige plukken omhoogstond, een gebruind gezicht en donkere ogen. Hij droeg een T-shirt met de tekst **Aussies are Down Under**, een slobberige broek en gympen. Hij had zijn handen in zijn zakken gestoken en keek naar de grond. Om zijn nek hing een ketting en aan zijn polsen droeg hij allemaal leren armbandjes.

'Nou jongens, dit is jullie nieuwe klasgenoot voor dit jaar. Hij heet Michael Kors en komt uit Australië. Maar daar kan hij jullie zelf wel iets over vertellen, toch Michael?'

De jongen beet even op zijn lip en keek de klas rond.

Kaat stootte Fleur aan. 'Leuke jongen,' giechelde ze zacht.

'Ja, maar niet zo leuk als Sven,' fluisterde Fleur terug. Sinds ze samen hadden meegedaan aan de talentenjacht van Teen Star, waren Sven en zij veel meer met elkaar gaan optrekken. Niet echt verkering, dacht ze, maar wel meer dan vriendschap. Vriendschap met een hartje. Een hartschap.

'Well, okay...' begon Michael. 'I'm... iek ben Michael. From Australia.' Hij wees op zijn shirt. 'Down Under. Zo heet het ook wel.'

Meester Bas kwam naast hem staan en legde even zijn hand op Michaels schouder. 'Michael spreekt Nederlands, omdat zijn moeder ook Nederlands was. Maar hij woont eigenlijk al zijn hele leven in Australië en heeft daardoor soms moeite de juiste woorden te vinden. Jullie gaan hem daar vast bij helpen. Michael zal een deel van het schooljaar hier doen, voordat hij weer teruggaat naar Australië. Je treft het trouwens, Michael, we gaan binnenkort op schoolkamp en dat is de leukste manier om kennis te maken met onze school. Maar misschien wil je ons iets vertellen over je leven daar.'

'Okay. Ik, eh... woon in een, eh... haus vlak bij het zee. Daarom kan ik surfen elke dag. Het is mijn, eh... groterste hobby?'

'Grootste.' Meester Bas glimlachte.

Een aantal jongens begon te grinniken.

Michael keek ongemakkelijk de klas rond. 'Ja, het is mijn grootste hobby. Ik ben er ook goed in, ik doe mee aan... spelen.'

'Spelen? Wow?! De Olympische Spelen?' Nu werd er niet langer gegrinnikt en keek iedereen vol bewondering naar Michael.

Er verschenen rode vlekken in zijn hals, zag Kaat.

'Eh... well... ik bedoel, eh...' hij zocht naar de juiste woorden '...wedstrijd.'

'O. Nou, dat is knap van je,' knikte meester Bas bemoedigend. 'Alhoewel je hier weinig zult kunnen surfen, ben ik bang.'

'Nee hoor, surfen is niet eng. Je hoeft er niet bang voor te zijn.' Michael keek meester Bas aan.

Nu klonk er opnieuw gegrinnik en de vlekken in Michaels hals werden groter en roder.

'Jongens, ophouden!' Meester Bas keek streng de klas rond. 'Maarten, ophouden met dat stomme gegrijns. Jij ook, Mourad. Het is enorm moeilijk om Nederlands te spreken als je dat niet gewend bent. En zeker jij, Mourad, zou dat moeten begrijpen. Michael, "ben ik bang" is een uitdrukking. Iets wat je zegt, maar niet zo letterlijk bedoelt. Je zat er vast op school, vertel daar eens wat over?'

Michael richtte zijn blik ergens op de muur achter in de klas. Hij voelde zich steeds ellendiger. 'Ja, in grade six. Onze school is iedere dag van acht uur 's ochtends tot twee uur 's middags. We gaan met een schoolbus.' Hij sprak het uit als 'skoelbuzz'.

'En dan zijn we dus na twee uur vrij en gaan we surfen, na het huiswerk. Mijn beste vriend...' Michael slikte even, 'mijn beste vriend Drew en ik. Wij surften dan. In Sydney is het eigenlijk altijd mooi weer en goede... golfs om te surfen.'

'Dat lijkt me heerlijk, iedere dag naar het strand,' zei Kaat. 'Wat een leven!'

'Ja, dat is.' Michael was blij dat eindelijk iemand aardig leek te zijn in deze vreemde, rare klas. 'Dat is ook een fantastic life...' Hij dacht terug aan de stranden thuis. Drew, Kylie en Pete zouden nu vast in het warme water liggen. Net als hij een week geleden nog... Hij wilde dat ze nooit verhuisd waren naar dit kleine, kille landje. Het was september, een koude slagregen sloeg tegen het raam. In Australië was het nu minstens 25 graden.

Australië...

'Nee! Moet ik écht mee? Kun jij niet alleen gaan, pap? Ik vraag of ik bij Drew mag wonen. Ik wil hier niet weg...' had hij ontzet geroepen, drie maanden geleden, toen zijn vader aankondigde dat ze een tijd naar Nederland zouden gaan voor een project waar hij aan werkte.

'Je gaat gewoon mee, knul. Je bent alles wat ik nog heb, maatje, we horen bij elkaar.' Zijn vaders blik was even afgedwaald naar de foto van mama, aan de muur.

Michael had zijn blik gevolgd en samen hadden ze een poos zwijgend naar het portret gekeken.

'Zie je, in Nederland woont haar familie, je opa en oma en nog een tante van je, je hebt er neefjes en nichtjes. En nu mama er niet meer is...' zijn vader had geslikt, 'nu ze dood is, vind ik het belangrijk dat we haar familie dichter in de buurt hebben. Dat we elkaar allemaal wat beter leren kennen. Jij kent ze alleen van een paar vakanties.'

Michael had tranen in zijn ogen gekregen. 'Maar we komen terug, pap, dat moet je me beloven. We blijven daar niet, hoor.'

'We komen terug, Mike. Echt waar.'

'En mama?' Michael had naar de urn gekeken, die onder de foto op een klein tafeltje stond.

Er stonden verse bloemen – orchideeën, haar favoriete – er brandde een wierookstokje en er lagen kleine dingetjes die aan mama herinnerden. Haar favoriete parfum, een boek dat ze nog aan het lezen was voordat ze te ziek werd, wat lieve briefjes die ze had geschreven.

'We gaan toch niet weg zonder mama?'

Papa had gezucht. 'We kunnen de as niet meenemen, niet helemaal. Ze hoort ook hier thuis. En dit huis blijft van ons, we verhuren het alleen een paar maanden. Weet je, we nemen een deel mee en dat kunnen we dan uitstrooien ergens in Nederland, op een plek waar mama graag was. De tuin van je opa en oma bijvoorbeeld, daar had ze het vaak over. Die is flink groot en vroeger was er een boomhut. Maar wacht even, ik heb nog iets voor je...' Papa was de kamer uit gesprint en kwam een paar seconden later terug. Hij hield een doosje in zijn handen. 'Alsjeblieft.'

'Wat is het?' Michael had het doosje aangepakt en opengemaakt.

Er lag een ketting in met een hanger in de vorm van een druppel.

'Een witgouden waterdruppel. Gevuld met wat as van mama. Zodat je haar altijd bij je kunt hebben, waar we ook zullen zijn. En omdat ze dol op de zee was.' Papa had een bibberige stem gekregen, de ketting gepakt en hem Michael voorzichtig omgedaan.

De druppel viel precies onder zijn shirt.

'Ik heb er zelf ook een,' zei papa, 'want ik wil haar ook graag bij me hebben. In Nederland.'

Michael werd uit zijn overpeinzingen gehaald door meester Bas. Zonder dat hij het in de gaten had, had hij de druppel in zijn hand genomen. Als troost, en om hem kracht te geven in deze nieuwe klas.

'Goed Michael, we zullen vast nog veel horen over Australië. Misschien kun je er binnenkort een spreekbeurt over houden. We hebben je een plaatsje gegeven voor Sven, daar. Sven, steek je hand even op zodat Michael ziet waar hij kan gaan zitten. Goed jongens, verder met de lessen. Pak je rekenboek en sla maar open.'

Saus op de grond

Fleur, Kaat en Frederique liepen na school samen naar huis.

'Dat lijkt me eigenlijk supermoeilijk, verhuizen naar een ander land.' Frederique schopte een steentje weg. 'Een nieuwe taal, ander eten.'

'Ander weer. Hé, wie gaat er volgende maand naar de voorlichtingsmarkt van de middelbare scholen?' Frederique keek hen aan. 'Spannend, vinden jullie niet? Ik bedoel, nog maar een klein jaar en dan zitten we gewoon in de brugklas!'

'Brugpiepers. Brrr! Ik moet er eigenlijk nog niet aan denken. Ik vind deze school veel te leuk.' Fleur trok haar neus op. 'Maar het heeft toch nog geen zin om al te gaan kijken? Je weet toch niet wat je Cito-score en je advies wordt?'

'Nee, maar wat maakt dat uit? Op zo'n markt krijg je gewoon een idee van alle middelbare scholen uit de omgeving, zodat je in januari veel gerichter kunt gaan zoeken. Je krijgt een beeld van hoe die scholen zijn en waar ze voor staan en zo...'

'Nou, dat hoor ik van Tijn wel. Het zou trouwens wel leuk zijn als we bij elkaar kunnen blijven.' Fleur keek haar vriendinnen aan.

Kaat knikte. 'Ja. Dat moet toch lukken? We zeggen gewoon tegen onze ouders dat we naar dezelfde school willen. Maar voorlopig is het nog niet zover, hoor. Eerst nog lekker op kamp.'

'Ja. Ik heb er nu al zin in. Wanneer gaan we precies?' Frederique schopte een takje weg.

'Volgens mij over een maand. Eerst gaan de groepen vijf, zes en zeven, en daarna wij. En dan natuurlijk voor de zomer nog het eindkamp.' Kaat haakte haar armen door die van Frederique en Fleur. 'Wist je dat er scholen zijn waar ze alleen in groep acht kamp hebben?'

'Saai! Gelukkig hier niet. Kamp is juist geweldig.' Fleur lachte. 'Een beetje vakantie op school.'

Er miauwde een poes.

Frederique keek rond. 'Ach. Vast een klein katje dat verdwaald is en het enorm koud heeft...' Ze stopte en keek om zich heen.

De poes miauwde weer, maar de vriendinnen zagen niets.

'Ze is bang, denk ik. Ze verstopt zich. Hier, poesiepoesiepoesie...' riep Frederique.

'Welnee,' lachte Kaat opeens. 'Dat is mijn nieuwe ringtone!' Ze haalde grinnikend haar mobiel uit haar tas. 'Hoi, mam. Ik ben al op weg naar huis en... Wat? ... Wat is er dan?'

Frederique en Fleur keken elkaar aan. Kaat klonk zo serieus opeens.

'Nee. ...Maar... Ja, dat is goed... Ik zal het vragen... Wanneer kan ik dan komen? ... Bel je me dan?' Nu klonk ze zelfs huilerig, haar stem trilde. Kaat beet op haar lip. 'Oké. Tot later.' Ze hing op en er drupten opeens dikke tranen over haar wangen. 'Mijn vader...' fluisterde ze. 'Hij ligt in het ziekenhuis!'

'Ach jeetje,' zei Fleurs moeder voor de derde keer en ze trok Kaat nog eens naar zich toe. 'Meisje toch, het komt wel weer goed, hoor.'

'Ja...' snufte Kaat en ze begon weer te huilen.

Frederique en Fleur keken haar beteuterd aan. Kaat had alleen maar gehuild sinds het telefoontje en ze hadden haar meegenomen naar Fleurs huis. Fleurs moeder was gelukkig thuis geweest. Ze zaten nu rond de tafel met thee en koekjes en een grote doos tissues in hun midden.

'Maar weet je dan wat hij heeft?'

'Neeheehee,' snufte Kaat opnieuw en ze snoot haar neus. 'Dat zei m'n moeder niet, maar ze klonk zelf helemaal in paniek en m'n vader is met de ambulance opgehaald. En hij moest geopereerd worden.' Ze begon opnieuw te huilen.

'Weet je wat?' Fleurs moeder pakte Kaat bij haar schouders en tilde toen met één hand zacht haar gezicht omhoog. 'Ik bel je moeder wel.

Dan zal ik vragen wat er precies gebeurd is.'

Kaat knikte. 'Enkmoesvraguhofkhiermogslapuhvannach...' snotterde ze er nog achteraan.

Fleurs moeder keek naar Fleur. 'Wat zegt ze?'

'Ze moest vragen of ze vannacht hier mag blijven slapen,' vertaalde Fleur.

'Geen enkel probleem, natuurlijk mag dat, lieverd. Wacht, ik ga even naar de andere kamer en dan zal ik eerst je moeder eens bellen.' Ze pakte haar mobiel en liep de keuken uit.

Fleur liep haar achterna. 'Waarom bel je niet in de keuken, mama?'

'Omdat ik niet weet wat er aan de hand is. Misschien is het wel heel ernstig en dan schrik ik en daar schrikt Kaat dan weer van. Dus ik kan beter even alleen zijn, oké? Ga jij maar naar Kaat terug.'

Fleur schonk nog wat thee in. Ze zaten stil rond de tafel.

'Zei ze echt niets, je moeder?' vroeg Fleur.

Kaat schudde haar hoofd. Haar ogen en wangen waren helemaal rood van hct huilcn.

'Misschien had hij wel een hartaanval,' zei Frederique. Ze nam een hapje van een koekje. 'Dat had een overbuurman van ons vorig jaar, en die werd ook met een ambulance weggehaald. Midden in de nacht, we werden er wakker van.'

'O? En toen?'

'Niets. Hij is doodgegaan.'

Kaat keek haar vol afschuw aan en haar ogen liepen weer vol tranen.

'Maar hij was al negentig!' riep Frederique snel.

De deur ging weer open en Fleurs moeder kwam binnen. 'Nou, dat valt mee, hoop ik. Het is wel ernstig, maar gelukkig niet héél ernstig. Je moeder had het inderdaad niet verteld, omdat ze zelf een beetje van de kook was.'

'Ze is kokkin,' mompelde Kaat, 'dus altijd van de kook...' en ondanks alles moest ze even lachen. 'Maar wat is er dan?'

'Hij is... nou ja, iemand had bij het bereiden van een gerecht in de keuken van het restaurant saus op de grond geknoeid en daar is je vader over uitgegleden. Hij heeft zijn been nogal lelijk gebroken. Hij moet geopereerd worden, om het bot weer netjes recht te zetten. Daarna zal hij twee weken in tractie moeten liggen. Dat betekent dat je vader met zijn been omhoog moet liggen, en daar hangen dan wat gewichten aan. Die zorgen ervoor dat het bot weer goed aan elkaar groeit. En dan zal hij een tijdje met krukken lopen en uiteindelijk weer zonder.'

'Dus eigenlijk valt het wel mee?' Kaat keek opgelucht. 'Geen hartaanval? Geen enge ziekte?'

'Nee,' lachte Fleurs moeder. 'Gewoon uitgegleden over een botersausje voor bij de vis.'

SurfingMike

Michael keek op zijn horloge. Het was nu bijna negen uur 's avonds. Dan was het vijf uur 's ochtends in Sydney. Er zou dus niemand online zijn.

Hij had met zijn vrienden en klasgenoten afgesproken dat ze met elkaar zouden chatten, om zo toch contact te kunnen houden in de maanden dat hij in Nederland zat. Speciaal voor de gelegenheid had hij van zijn vader een laptop gekregen met ingebouwde webcam. Kon hij Drew en Kylie ook gewoon zien als ze chatten.

Hij hoorde gerommel beneden. Ze logeerden tijdelijk bij opa en oma, de ouders van mama. Hij had ze niet zo vaak gezien toen ze in Australië woonden; het was ook wel erg ver weg. Even zomaar op visite gaan zat er niet in, dacht hij.

Natuurlijk waren ze wel naar de uitvaart van mama gekomen, vorig jaar. En nu logeerden hij en pap hier, totdat papa een huurwoning had gevonden.

Michael vond het niet zo erg. Opa en oma woonden leuk: ze hadden een groot huis met een rieten dak en een enorme tuin met achterin een boomgaard. En hij had mama's oude kamer gekregen. Die was nooit echt veranderd, maar min of meer gelaten zoals mama hem had achtergelaten toen ze twintig was en naar Australië vertrok. Hij keek naar het behang, oud en vergeeld, en stelde zich voor hoe zij daarnaar gekeken had. Hij zat op háár stoel en sliep in háár oude bed ('maar wel een nieuw matras, hoor jongen, dat andere was iets te oud geworden,' had oma gezegd). Zijn kleding hing in háár oude kast en nu zat hij met zijn nieuwe laptop aan háár bureau. Zo voelde het toch een beetje vertrouwd, maar eigenlijk wilde hij veel liever thuis zijn. Luisteren naar de krekels in de tuin, lekker buiten barbecueën, de zee horen ruisen, de vogels horen ritselen in de hoge bomen. Hij zette de laptop aan.

Aan: surfingdrew@hotmail.com
Van: surfingmike@hotmail.com
Onderwerp:

Good day mate! Nou ja, eigenlijk avond... 't Is hier nu negen uur 's avonds en het is zooooo koud. Zou liever bij jullie zijn nu, lekker warm. Nederland is klein en koud en nat...
Hoe gaat het in de klas? Heb je die rekentoets die je verknald had nog in moeten halen? En? Ik denk dat ik deze school niet echt leuk ga vinden. Heel anders dan bij ons. Ze hebben hier geen kantine om te eten (ik mis de bagels met tonijn nu al!), dat doe je in de aula of je gaat tussen de middag naar huis, kun je dat geloven?! Geen schoolbus ook, iedereen loopt of fietst hier. Duh. Ik heb nog geen fiets, opa zegt dat ik die wel van hem krijg. Mijn opa en oma zijn best oké, je hebt ze vorig jaar nog ontmoet toen ze twee maanden bij ons waren, weet je nog? Maar ik hoop wel dat we snel een eigen plekje krijgen – al die maaltijden met aardappels hier... Bleh! ☹
De klas is ook heel anders dan thuis, maar de leraar is wel aardig. De kids zijn veel brutaler. En ze lachen om mijn accent. Nou, ik hoef geen vrienden te hebben. We wonen hier toch maar tijdelijk, dus wat maakt het uit? Er werd ook nog iets gezegd over een schoolkamp, geen idee wat ze daarmee bedoelen. Dat er een kamp is waar school wordt gegeven? Of misschien is het wel een schoolreisje.
Hoe gaat het met Kylie? Ze heeft toch niet al een ander vriendje, hè? Ik bedoel, we hebben wel gezegd dat het niet meer 'aan' is zolang ik hier woon, maar ik hoop wel dat ze niet meteen een ander heeft.
Ik mis jullie. Ik mis thuis. En ik mis m'n surfplank, man!

Hey: als het hier avond is, is het bij jullie nacht. Dus moeten we chatten als het hier ochtend is. Als ik nou 's ochtends om half zeven opsta, ben jij net terug van school en kunnen we chatten. Zorg ik dat ik morgen online ben als het bij jullie half drie is. Misschien wil Kylie ook wel?
See you later,
Mike

Hij ging op bed liggen met zijn handen achter zijn hoofd gevouwen. Heimwee deed pijn, besloot hij. Het leek wel of er een bal van vuur in zijn keel bleef steken. Hij slikte en dacht aan thuis.

Kaats keel brandde ook. 'Dat is heet,' riep ze uit en ze zette geschrokken haar theemok weg. 'Au!'

Fleur lachte. 'Ja, hallo. Jij wilde toch nog wat thee voor je ging slapen? En thee is meestal heet. De letters zeggen het al: t-h-e-e wordt h-e-e-t.'

'Ha ha. Ik ben toch zo opgelucht dat het met mijn vader wel goedkomt. Hij zag er nog wel een beetje grauw uit, op het bezoekuur, maar ja, hij had natuurlijk vanmiddag pas die operatie gehad. En zijn been moet lang rusten, zei hij. Dan zal mam wel vaker in het restaurant zijn, als ze het allemaal alleen moet doen.'

'Ja, balen joh.' Fleur sprong op het bed. 'Maar dan ben je wel vaker alleen thuis, kun je lekker doen wat je zelf wilt.'

Kaat ging op het matras op de grond liggen en staarde naar het plafond. 'Dat is veel minder leuk dan jij denkt, hoor. Het is saai in huis zonder pap en mam. Ze zijn vanaf elf uur 's ochtends weg, dan komen ze om half vijf even naar huis en eten we samen om vijf uur, voordat ze naar het restaurant gaan. Mijn vader is de hele avond in **Lepels**, en mijn moeder komt altijd om negen uur thuis, maar dan lig ik al in bed. Ze komt wel even kijken dan, en me instoppen en kletsen. Dat is altijd erg gezellig. Maar bij jullie is er altijd wel iemand die een spelletje wil doen, of met wie je televisie kunt kijken. Mijn ouders hebben 's avonds geen tijd voor ons, alleen op maandagavond, als het restaurant dicht is.' Kaat beet op haar lip. Gek, dat anderen altijd dachten dat het zo leuk was als je ouders pas 's avonds zo laat thuiskwamen. Na een paar dagen was de lol daar echt wel van af. Ze trok de slaapzak dichter om zich heen.

'Hoe vind jij die nieuwe?' Fleur knipte het licht uit.

'Michael? Lijkt me wel een leuke jongen.' Het kriebelde even in Kaats buik. 'Heel anders dan de jongens hier. En hij heeft zo'n grappig accent. Skoelbuz. En hij...'

'Kaat?! Je gaat toch niet verliefd worden?!' Fleur leunde op haar elleboog.

In het donker kon Kaat haar contouren net zien. 'Natuurlijk niet.' Haar stem klonk harder dan ze wilde. 'Bovendien, wat dan nog? Jij bent toch ook verliefd op Sven?'

'Ja, maar die woont hier. Michael gaat over een paar maanden weer terug naar Australië. Dat is veel te ver weg, joh. Dan kun je nooit eens samen naar de bios of zoiets.'

'Maar ik ben gelukkig niet verliefd,' zei Kaat, 'dus dat is maar goed ook. Australië is ook veel te ver weg. Hé, heb jij wel eens van MyFriendz.nl gehoord?'

'Nee, wat is dat?'

'Echt een vette site. Kun je heel veel vrienden verzamelen en je kunt er informatie op kwijt en zo. Leuk joh, moet je ook gaan doen.'

'Ik zal er wel eens naar kijken.' Fleur geeuwde. 'Maar niet nu. Nu ga ik slapen. Welterusten...'

'Slaap lekker,' zei Kaat en ze draaide zich om. Ze probeerde het knagende gevoel te negeren. Ze dacht aan thuis. Aan haar eigen warme bed. En aan mama, die altijd 's avonds als ze thuiskwam van Lepels toch nog even bij haar op bed ging zitten. Ze slikte een brok weg en staarde in het donker.

300 vrienden...

'Oké schat, dan ga ik weer terug naar Lepels.' Mam keek in de spiegel en kamde haar haren.

Lepels was het restaurant van Kaats ouders. Een chique restaurant, waar het altijd gezellig en druk was. En, wist Kaat inmiddels ook, waar keihard werd gewerkt. Dubbel zo hard nu haar vader in het ziekenhuis lag. Haar vader was er inmiddels al bijna een week, maar het ging erg goed en de artsen waren tevreden over de genezing van de wond. Ze verwachtten dat Kaats vader over twee weken weer naar huis mocht. Ondanks al dat goede nieuws wilde Kaat dat het nooit gebeurd was. Haar moeder was nu nauwelijks thuis. Sinds pap was uitgegleden, was Kaat voornamelijk samen met Luuk geweest. Het was bijna, dacht ze soms, alsof ze geen ouders meer hadden.

Ze had het op een avond tegen mam gezegd. Die had haar geknuffeld en gezegd dat het nu even niet anders was, maar dat ze zeker geen weeskinderen waren. En dat zodra pap weer goed uit de voeten kon, ze met z'n allen een lang weekend weg zouden gaan. Leuk, had Kaat gedacht. Maar liever had ze haar ouders gewoon wat vaker thuis gehad.

Nu keek ze haar moeder aan, die nog wat plukken haar uit haar gezicht wegduwde.

'Ik wil dat je om half negen naar bed gaat, dan mag je nog even een kwartiertje lezen. Luuk, jij gaat om half tien, oké? Neem allebei maar wel je mobiel mee naar bed, dan kun je bellen als er iets is.' Mam controleerde haar lippenstift ook nog even in de spiegel. 'Zolang papa in het ziekenhuis ligt en nog niet kan werken, zal ik er 's avonds langer moeten zijn. Het is niet anders. Als jullie liever willen dat we een oppas regelen, dan...'

'Nee. Alsjeblieft geen oppas, mam. We zijn geen kleuters meer, hoor. De vorige oppas leek wel een generaal.' Luuk ging in de houding staan. 'Naarrrrrrr bed!' riep hij hard. 'En sssssssnel!'

Kaat lachte.

'Ach,' mam moest ook lachen, 'zo erg was Gerda toch niet? Oké, zolang het goed gaat: geen oppas. Maar zodra ik merk dat jullie misbruik van de situatie maken, bel ik direct de oppascentrale. Of ik zoek het nummer van Gerda nog eens op...'

'Nee!' riepen ze in koor.

Nadat ze nog wat huiswerk had gemaakt, zette Kaat haar computer aan.

Kaat-wjnmk-Fleur-wjnmk-Fred zegt: heb je nou al gekeken naar MyFriendz? moet je wel doen hoor, en ook zo'n profiel aanmaken. is leuk, kunnen we lkaar zo ook zien.

Bloempje11 zegt: ja, zag er cool uit. ga r ook 1 aanmkn. en dan ben jij mn eerste vriend.

Kaat-wjnmk-Fleur-wjnmk-Fred zegt: gaan we kijken wie de meeste vrienden heeft. Ha ha! ik zag al profielen met wel 300 vrienden. en wel 600 Knuffelz.

Bloempje11 zegt: WOW. maar dat zijn dan tog geen égte vrienden? wie hft r nou 300 vrndn??? n wat zijn Knuffelz???

Kaat-wjnmk-Fleur-wjnmk-Fred zegt: dat zijn n soort van punten die je kunt verzamelen. hoe vaker er op je profiel wordt gekeken, hoe meer Knuffelz je kunt verzamelen. Als bezoekers vinden dat je een leuk profiel hebt of zo, geven ze n knuffel aan dat profiel. en als je er 1000 of zo hebt, dan word je Knuffelz-lid en krijg je allerlei coole gadgets gratis.
en wat die vrienden betreft, als je iedrn telt die je kent, bijv ook iedrn van school en sportclubs, heb je r al superveel. trouwns, je kunt je ook op de pagina van je school aanmelden. weet niet 1s of onze school ook al lid is?. ga meteen kijken en anders morgen in de klas vragen aan mstr Bas.

Sven-the-man meldt zich aan.

Sven-the-man zegt: hoi.

Kaat-wjnmk-Fleur-wjnmk-Fred zegt: hey. heb jij al n profiel op MyFriendz?
Sven-the-man zegt: nee, wat is dat?
Kaat-wjnmk-Fleur-wjnmk-Fred zegt: is cool. zo'n site waarop je je eigen pagina kunt maken, met foto's enz. kun je mij opzoekn, ik heet Snoepie12.
Bloempje11 zegt: hey Sven.
Sven-the-man zegt: hoi Fleur.
Bloempje11 zegt: hoe kom je nou bij Snoepie12?
Kaat-wjnmk-Fleur-wjnmk-Fred zegt: je moet wel een naam verzinnen die leuk is en opvalt natrlk. want je moet wel Knuffelz verzamelen.
Sven-the-man zegt: maar je mag tog ook wel gwn je eigen naam gebruiken? Sven is namlijk een hele leuke en opvallende naam. ha ha!
Kaat-wjnmk-Fleur-wjnmk-Fred zegt: hmmm, zal wel. hey, nodig je die nieuwe ook uit om t chatten? en voor MyFriendz?
Bloempje11 zegt: Kaatje vindt hem nogal leuk...
Kaat-wjnmk-Fleur-wjnmk-Fred zegt: nietus. maar hij lijkt me gewoon aardig en het zal best lastig zijn, nieuw land, nwe klas...
Sven-the-man zegt: weenie. kzal wel 1s vragen of hij ook wil chatten, hij sgijnt n laptop te hebben met webcam, kan ie zn vrndn in Australië zien.
Kaat-wjnmk-Fleur-wjnmk-Fred zegt: egt?? vet. kan ik eindelijk ook mn webcam gebruiken...
Bloempje11 zegt: en m zien terwijl je chat... zwijmel.
Kaat-wjnmk-Fleur-wjnmk-Fred zegt: Fleurrrrrrrrrrrrrr!
Bloempje11 zegt: hi hi!
Sven-the-man zegt: ga nu weer ff sax oefenen – mag binnenkort een keertje optreden op een feest bij mijn vader op de zaak. hij is opeens m'n grootste fan. na m'n 4e plaats in Teen Star weinig meer geoefend – te druk met handtekeningen uitdelen op school... LOL! ha ha! doei, zie je morgen.
Bloempje11 zegt: v.l.e.k.jes xxx
Kaat-wjnmk-Fleur-wjnmk-Fred zegt: ja, bye bye. (alvast Australisch aan t oefenen...)

Na een half uur vond Sven het wel genoeg. Hij maakte het mondstuk schoon en zette zijn saxofoon in de standaard, naast de oorkonde van Teen Star. Vierde plaats, hij was er nog steeds trots op. En het had de band met zijn vader versterkt. Eindelijk had zijn vader ingezien hoe weinig hij eigenlijk van Sven wist, en dat de scheiding dat er niet beter op had gemaakt. Sven, zijn zusje Eva en hun vader waren daarom de afgelopen zomer alleen op vakantie gegaan naar een meer in Zwitserland. Zonder het Nieuwe Enge Gezin. Het was een supervakantie geweest.

Eigenlijk, dacht Sven, was dat Nieuwe Enge Gezin niet zo heel eng meer. Sinds hij en Merel allebei hadden meegedaan met Teen Star, was hij haar een stuk aardiger gaan vinden. Toch was het heerlijk geweest om met pap weg te zijn. Het was een geweldige week geweest, bedacht Sven; even alleen met hun vader zonder zijn vriendin Anouk en haar kinderen Sam en Merel – alias het Nieuwe Enge Gezin. De enige die had ontbroken, was mama. Jammer. Sven had haar best gemist die week, maar zij zat met háár nieuwe vriend, Tom, ergens in een huisje in Drenthe. En ze had het blijkbaar leuk gehad, want daarna was Tom steeds vaker langsgekomen, ook als Eva en Sven er waren, en hij was zelfs al een keer blijven slapen. Dat had Sven nog best moeilijk gevonden, dat Tom opeens in een pyjamabroek en T-shirt aan de ontbijttafel had gezeten. Het zou wel wennen, hoopte hij. Want op zich was Tom een aardige man en hij was absoluut lief voor mam.

Hij typte nu het adres in van MyFriendz. Hij had eigenlijk nog nooit een profiel op een site gezet. Wacht, hij zou eerst David eens opzoeken. Hij typte **David Silvio** in.

Hé. Davids profiel kwam na een paar seconden in beeld. Grappig. David had allerlei informatie erin staan. Hij had op zijn pagina gezet welke school hij bezocht, wie zijn vrienden waren (Sven!), van welke muziek hij hield (hiphop), welke bands hij cool vond, welke boeken hij las (strips), waar hij een hekel aan had (gymles en verliezen met voetbal). Er stond nog veel meer op, en aan de zijkant zag Sven allemaal portretjes van vrienden van David. Hé, daar waren Tim en Maarten, en daar stond Isaac, maar die zat pas in groep 4. En Kaat.

Hij las haar profiel. Ze had inmiddels zes vrienden verzameld en dertien Knuffelz, zag hij. Grappig. Hij neusde nog wat rond en ging toen met de muis naar **Maak nieuw profiel aan**.

Hij zette er een clipje op van zijn eigen optreden bij Teen Star. En wat foto's van de vakantie. Een foto van hem en Fleur samen op een schoolfeest. Een van David en nog een van zijn voetbalteam. Daarna nodigde hij David, Kaat en nog wat schoolgenoten en jongens van zijn voetbalteam uit om ook zíjn vriend te worden en hem met Knuffelz te belonen.

Binnen een uur had Sven-the-Man negen vrienden en Knuffelz.

Schoolkamp in aantocht

'Goed, dan gaan we morgen de tentindeling maken voor het najaarskamp. Schrijf maar op met welke twee kinderen je graag in de tent zou slapen en dan zal ik kijken of ik daaruit kan komen. In principe zijn er twee tenten voor groepen van vier, de rest slaapt in groepjes van drie of twee. Twee regels: jongens alleen bij jongens en meisjes alleen bij meisjes. En niemand bij mij.'

De klas lachte.

'Jammer Sven, kun je niet bij je liefje!' riep David.

Die werd zo rood als een kers. En ook Fleur kleurde dieprood.

'Ze is mijn liefje niet!' siste Sven.

Fleur voelde zich klein worden. Ze durfde Sven niet aan te kijken.

'Goed, dan nog even de brieven over het kamp.' Meester Bas deelde de papieren uit.

Michael bestudeerde de brief die voor hem lag. Een kamp. Dat deden ze thuis eigenlijk nooit, op kamp gaan met de klas, maar op deze school, zo was hem verteld, deden ze het ieder jaar. Dan ging de klas kamperen in tenten en moesten de tentgroepjes zelf koken onder begeleiding van een ouder. Er zaten zevenentwintig kinderen in de klas en er zouden vier begeleiders meegaan, naast meester Bas. Ze zouden twee nachten blijven en allerlei leuke activiteiten gaan doen. Er was een zwemmeertje bij de camping – een natuurcamping, had meester Bas gezegd, dus geen speelzalen met automaten, geen restaurant, geen subtropisch zwembad met drie verschillende glijbanen.

En toch vond Michael het vreselijk. Drie dagen met deze klas, waarbij hij zich nog helemaal niet thuis voelde, op kamp... met vreemde jongens in dezelfde tent slapen... Hij slikte moeizaam.

'En vergeet niet je ouders te vragen of een van hen mee wil. Want zonder ouderbegeleiding geen kamp. O ja, vergeet ook niet te betalen, jongens, het kamp kost 25 euro per persoon.'

Michael keek op. Hij zou gewoon zijn vader vragen mee te gaan! Zijn pen haperde boven het papier. Ja, hij moest een paar namen invullen. Hij beet op zijn pen en keek naar Sven en toen naar David.

Die lachte even naar hem. 'Hé, waarom gaan wij niet met z'n drieën? Schrijven we elkaars namen op!'

Sven en Michael keken elkaar aan en haalden hun schouders op.

'Best,' mompelde Sven.

'Yeah, right,' zei Michael weinig enthousiast.

'Jee, ik weet niet of ik zomaar vrij kan nemen.' Michaels vader had de brief gelezen en ze zaten met opa en oma om de eettafel.

'Ik ga niet alleen!' Michael duwde zijn eten rond op zijn bord. Alweer aardappels. In Australië barbecueden ze een paar keer per week. Of ze aten rijst of iets met pasta. Maar bijna nooit aardappels. Meer dan ooit wilde hij terug naar huis. Terug naar de warmte en de natuur, de zee en het strand, waar ze 's avonds zaten te kletsen.

Zijn opa en oma keken hem aan.

'Ik snap best dat die jongen niet alleen wil, Paul,' zei zijn opa. 'Alles is nieuw hier, en dan ook nog op kamp... Je kunt je toch wel een paar dagen vrijmaken? En anders ga ik toch mee?' Opa knipoogde bemoedigend naar Michael.

Die kromp ineen. Met je opa op schoolkamp... Hij kreunde zacht. 'Eh... opa, ik geloof niet dat opa's mee mogen. En dan moet je ook in een tentje slapen en op de grond op een zeiltje en zo. En dat kan toch niet meer als je een beetje reuma hebt. En...'

Opa lachte. 'Het was maar een grapje, Michael. Natuurlijk ga ik niet mee. Stel je voor.'

Michael grijnsde schaapachtig en opgelucht. 'O, sorry, ik wist niet dat het een grapje was...'

'Tuurlijk ga ik niet mee. We schrijven gewoon je oma in, die heeft geen reuma.' Opa keek hem glunderend aan.

'Leuk! Kamp... Ik zou dit jaar wel mee willen, Sven. Zal ik me opgeven?'

Sven keek zijn moeder aan. 'En Eva dan? Je kunt een zevenjarige toch niet alleen thuis laten?'

'Die kan vast een paar dagen naar je vader toe. Zou je het leuk vinden als ik meeging?'

Sven dacht erover na. Waarom ook niet? 'Maar dan heb je mij niet in je groepje, je krijgt nooit je eigen kind in je groep.'

'Des te beter.' Mama stond op en zette haar mok op het aanrecht. 'Zie ik ook niet wat voor kattenkwaad je allemaal uithaalt.'

'Nee, dat gaat echt niet, Kaat. Ik zou niet weten hoe ik vrij moet nemen van Lepels. Je vader is dan nog lang niet mobiel genoeg om alles in z'n eentje te doen. En hij kan zéker niet mee, met dat been in het gips.'

Kaat slikte en keek uit het raam. 'Jullie zijn nog nooit mee geweest,' zei ze met overslaande stem. 'Dit is het op een na laatste kamp op deze school en jullie zijn nooit mee geweest!'

'Dat weet ik, maar hoe verwacht je dat ik zoiets voor elkaar krijg? Je weet toch dat het restaurant veel tijd opslokt?'

'Al je tijd...' mompelde Kaat.

'Wat zeg je?' Nu klonk mams stem dreigend.

'Niets,' zei Kaat.

'Jawel. Ik verstond je wel. Maar je vergeet, denk ik, dat je mede doordat je vader en ik zo hard werken een heel luxe leventje leidt, dame. Je krijgt altijd alles wat je hartje begeert: de nieuwste mode, verre vakanties... Hoe denk je dat we de vakantie naar Curaçao deze zomer kunnen betalen? Anderen gaan kamperen in Frankrijk of blijven thuis en gaan dagjes weg. Jij ligt straks twee weken lang in het witte zand op Curaçao. En dan ga je weer lekker zwemmen met dolfijnen.'

Kaat zuchtte. Dat was waar. En toch... ze zou het zó leuk vinden als haar ouders ook eens écht tijd en aandacht voor haar zouden hebben. Ze pakte haar schooltas en liet de brief er weer in zakken. 'Ik ga naar boven,' zei ze, 'naar mijn kamer.'

Ze had inmiddels 129 Knuffelz. Ze klikte op de MyFriendz-lijst en zag dat Fleur nu ook een profiel had aangemaakt. Gelukkig. Fleur had haar uitgenodigd als 'MyFriend' en ze klikte op **Accepteren**. Zo, weer een vriend erbij, ze zat nu op 56. Kinderen van school, van hockey, kinderen uit de buurt en een paar volwassenen. Zo stond Annet erbij, de hulpkok van Lepels. En de hockeycoach, Esther.

Ze startte MSN op en was blij verrast toen ze zag wie er online was.

Kaat-wjnmk-Fleur-wjnmk-Fred zegt: hoi. leuk dat je ook op msn zit!

Surfdude zegt: o, yep. misschien kan ik zo ook naar mijn mates in Australië chatten.

Kaat-wjnmk-Fleur-wjnmk-Fred zegt: mates???

Surfdude zegt: vrienden.

Kaat-wjnmk-Fleur-wjnmk-Fred zegt: je zult ze wel missen. had je daar veel vrienden?

Surfdude zegt: gaat wel. mijn best mate Drew en my girlfriend Kylie.

Kaat-wjnmk-Fleur-wjnmk-Fred zegt: girlfriend? o.

Surfdude zegt: ja, we zijn in liefde.

Kaat-wjnmk-Fleur-wjnmk-Fred zegt: je bent waar?!? volgens mij bedoel je 'verliefd'.

Surfdude zegt: o ja, dat. verliefd.

Kaat beet op haar nagel. Jammer. Dus hij was helemaal niet vrij... Ze voelde zich meteen een stukje minder vrolijk.

Kaat-wjnmk-Fleur-wjnmk-Fred zegt: dan woon je wel ver van elkaar nu.
Surfdude zegt: ja, maar we mailen en soms bellen we en ik schrijf haar letters.
Kaat-wjnmk-Fleur-wjnmk-Fred zegt: brieven.
Surfdude zegt: o ja, brieven. moeilijk hoor, die taal.
Kaat-wjnmk-Fleur-wjnmk-Fred zegt: valt wel mee. minder moeilijk dan Japans, Chinees of Arabisch. maar jouw moeder komt toch uit Nederland? kan zij je tog leren hoe je het uitspreekt?

Kaat-wjnmk-Fleur-wjnmk-Fred zegt: hai, ben je er nog??

Kaat-wjnmk-Fleur-wjnmk-Fred zegt: buzzzzzzzzzzzzzzzzz!
Kaat-wjnmk-Fleur-wjnmk-Fred zegt: halloho??? aarde aan Michael???
Bloempje11 meldt zich aan.
Bloempje11 zegt: hey...
Kaat-wjnmk-Fleur-wjnmk-Fred zegt: hoi.
Bloempje11 zegt: zit je al lang in je uppie te chttn?!
Kaat-wjnmk-Fleur-wjnmk-Fred zegt: ha ha! nee, zat met Mike te chttn, maar nu is ie opeens weg??? heb denk ik iets verkrds gezegd...
Bloempje11 zegt: ooo... vervelend. wat dan?
Kaat-wjnmk-Fleur-wjnmk-Fred zegt: weenie. wist jij dat hij een ♥ heeft in Australië?
Bloempje11 zegt: nee. hij zegt ook zo weinig in de klas. na bijna 3 weken zou je dnken dat hij zig een beetje thuis begint te voelen hier, maar hij houdt zich nogal op de vlakte, vinjenie?
Kaat-wjnmk-Fleur-wjnmk-Fred zegt: mmmmm... ze heet Kylie.
Bloempje11 zegt: net als die zangeres.
Kaat-wjnmk-Fleur-wjnmk-Fred zegt: tog wel egt jammer...
Bloempje11 zegt: zie je wel!!! wist wel dat je hem errug leuk vindt!
Kaat-wjnmk-Fleur-wjnmk-Fred zegt: maar nu geen hoop meer...
Surfdude meldt zich af.

Kaat voelde zich misselijk worden.

Kaat-wjnmk-Fleur-wjnmk-Fred zegt: NEEEEEEEEEEEEEEE!!!!!!! hij was gewoon nog online!!!!!!!kreun!!!!!!!

Bloempje11 zegt: oeps...

Kaat-wjnmk-Fleur-wjnmk-Fred zegt: zou hij...?

Bloempje11 zegt: vast niet. hij was misgien gewoon iets anders aan t doen. heeft ie vast niet gelezn.

Kaat-wjnmk-Fleur-wjnmk-Fred zegt: hoop ik dan maar!!! voel me opeens erg misselijk... bweh!

Michael leunde naar achteren en grijnsde even. Dus die Kaat vond hem wel leuk?

Maar toen ze over mama begon, had hij niet geweten hoe hij moest reageren. Niemand in de klas wist nog dat ze overleden was. Hij zou zomaar kunnen doen alsof ze nog leefde... Praten over haar alsof ze er nog was, alsof ze hem nog steeds adviezen gaf als hij het even niet meer wist. Niemand zou het weten, want ovcr ccn half jaar was hij toch weer vertrokken.

Hij keek naar haar foto. Gemaakt op een warme dag aan het strand, toen ze met vrienden waren gaan picknicken. Ze zat in haar shorts naast papa, en hij, Michael, leunde aan de andere kant tegen haar aan. Ze lachten alle drie naar de fotograaf. Michael voelde weer bijna hoe gelukkig ze die dag waren geweest. De herinnering verzachtte het holle gevoel dat hij had. Leefde ze nog maar... Er drupte een traan langs zijn wang.

Kampgeld

Meester Bas klapte even in zijn handen om de aandacht weer te krijgen. 'Jongens, ik heb van bijna iedereen nu het kampgeld binnen, op drie personen na. Jassina, van jou heb ik het nog niet, Carmen, van jou ook niet en van Pieter nog niet. De rest heeft alles keurig ingeleverd, inclusief de aanmeldingen van de ouders. Er zijn meer ouders dan we nodig hebben, dus we gaan loten. Maar ik wacht nog even op de betaling van Carmen, Jassina en Pieter, want misschien willen die ouders oo... Jassina, wat is er? Waarom huil je?'

Jassina zat schuin tegenover Kaat en Fleur. Met een rood hoofd snikte ze en ze verborg haar gezicht in haar handen. Ze mompelde iets.

'Wat is er?' vroeg meester Bas geschrokken.

'Ik mag dit jaar niet meer mee...' fluisterde ze nu zacht en met de punt van haar hoofddoek wreef ze langs haar ogen.

'Je mag niet mee? Maar je bent alle kampen al mee geweest? Waarom kun je niet mee dan?' Er klonk geroezemoes en iedereen keek naar Jassina.

Ze haalde haar schouders op en zweeg.

Kaat keek ook naar Jassina. Wat sneu als je niet mee mocht. Jassina was een stil en verlegen meisje, dat eigenlijk nooit afsprak na school of naar feestjes kwam. Ze had een vriendin in de andere groep 8, Marjolein. En ze had een broertje in groep 5. Ze kwam oorspronkelijk uit Afghanistan, maar verder wist eigenlijk niemand iets van haar.

'Wat stom dat je niet mee mag. Van wie mag je niet mee?' vroeg Frederique opeens.

Jassina keek op. Ze beet op haar lip, er verscheen een frons op haar voorhoofd, alsof ze overwoog wat ze zou zeggen. Toen haalde ze diep adem. 'Ik mag niet mee omdat er ook jongens meegaan.'

'Hè?!' Iedereen begon te roezemoezen.

Jassina keek diep ongelukkig.

Meester Bas gebaarde dat ze stil moesten zijn. 'Jongens, stil... kom, even de aandacht centraal. Jassina, je mag niet mee omdat er jongens meegaan? Maar je mocht altijd op kamp en er gingen altijd jongens mee. Hoe zit dat dan?'

Jassina had rode vlekken in haar gezicht gekregen. Ze trok haar hoofddoek wat verder over haar voorhoofd. 'Mijn vader zegt dat ik nu te oud ben geworden om op een kamp te gaan waar ook jongens slapen. Dat mag volgens hem niet van onze godsdienst. Na een bepaalde leeftijd mag je als meisje niet zomaar meer met vreemde jongens zijn, of slapen als er ook jongens zijn...' Haar stem werd steeds zachter.

'Maar dat is belachelijk!' riep Sven opeens uit. 'Je kent ons al jaren. Wij zijn helemaal geen vreemden voor je.'

'Nee,' zei Emma, 'en je slaapt toch niet in dezelfde tent als de jongens?!'

'Waarom gaat je vader niet mee dan? Kan hij zien dat je gewoon bij meisjes slaapt,' riep Fleur. Wat idioot, zeg. Stel je voor dat háár ouders zoiets zouden eisen van haar.

'Nee, nee...' Jassina veegde nog een traan weg. 'Ik mag gewoon echt niet mee.'

'Wat een stomme godsdienst, zeg!' vond David.

'Ho ho.' Meester Bas hield zijn handen verdedigend omhoog. 'Dat mag je nooit zeggen, David. De islam is geen stomme godsdienst, net zomin als het christendom dat is, of het boeddhisme of het hindoeïsme. Net zomin als het stom is wanneer je niet gelovig bent. Iedereen maakt daarin zijn eigen keuzes. Al deze godsdiensten hebben hun eigen leefregels en...'

'Nou,' brieste Kaat, 'ik vind een godsdienst waarbij jongens en meisjes niet bij elkaar mogen, wel belachelijk.'

'Mag je broertje straks ook niet meer op kamp?' vroeg Joris.

Jassina keek rond. 'Die wel,' fluisterde ze toen. 'Voor jongens is het nu eenmaal anders.'

'Nou ja, zeg!' riep Fleur boos uit. 'Dát is flauw. Alsof jongens meer waard zijn dan meisjes.'

De klas stemde boos in.

Meester Bas krabde even aan zijn neus. 'Tja... wacht even, jongens, voordat we hier een discussie krijgen die niemand kan winnen. Laten we het er eens even goed over hebben. En vooral: laten we elkaars godsdienst respecteren. Jassina, helpt het denk je als ik met je ouders zou gaan praten over het kamp?'

Jassina haalde haar schouders op. 'Misschien...' maar ze klonk alsof ze dat zelf niet echt geloofde.

'Ik zal ze deze week wel bellen. En als ze toch besluiten dat je niet mee mag, dan respecteren we dat met z'n allen zonder dat we Jassina gaan lastigvallen over de keuzes die haar ouders maken. Dat brengt me dan nog bij Carmen en Pieter. Nemen jullie het kampgeld morgen mee, jongens?'

Kaats moeder kwam binnengezeild en gooide haar tas op de grond. 'Pfffff, wat een dag. Nou, laten we snel wat eten. Ik moet echt terug naar Lepels, we krijgen vanavond een groot gezelschap en een van de vrieskasten begaf het.' Ze zag er verhit uit en liet zich op een stoel vallen. 'Ik wou dat je vader weer kon werken...' Ze keek uit het raam en veegde een pluk haar uit haar gezicht. 'Nou ja,' zuchtte ze, 'het is niet anders. Kathelijne, hoe was je dag, schat?'

Kaat begon de tafel te dekken. Jammer dat mam het zo druk had, ze had eigenlijk gehoopt dat ze eens een avondje thuis kon blijven. Luuk was er vanavond ook al niet, die had een feest. Mam had nog gevraagd of Kaat een oppas wilde, maar Kaat had gelachen dat het niet nodig was, ze kon heus wel op zichzelf passen en bovendien zou Luuk om twaalf uur weer thuis zijn.

'Ja, wel leuk. We hebben een toets gehad en ik had een zeven en...'

Mams mobiel ging. 'Ja? Wat bedoel je? ... Nee, je moet de grote groep achterin zetten en dan de andere reserveringen in de serre... Ja, hoezo, niet voldoende plaats? ... Nou, zal ik maar komen dan? ... Tot zo.'

Kaat liet haar schouders zakken.

Mam haalde diep adem en blies hard uit. 'Verdorie. Nou loopt het nog in de soep ook... Te veel reserveringen, we hebben niet voldoende plaats. Sorry schat, er zit niets anders op, ik moet terug naar de zaak.'

Kaat beet op haar lip. 'Kan ik niet mee? Ik zal niet in de weg lopen en misschien kan ik zelfs helpen?'

Mam legde even een hand op Kaats wang. 'Sorry liefje, dat zal niet gaan. Daarvoor is het echt te druk. Een andere keer weer, oké? Waarom bel je niet even naar Fleurs ouders en vraag of je daar mag blijven vanavond? Het is vrijdagavond, je mag er misschien wel logeren.'

Maar bij Fleur nam niemand op en Frederique zei dat ze juist vanavond met z'n allen naar het theater gingen en dat er geen kaartje meer over was voor Kaat.

'Red je het wel?' vroeg mam bezorgd. Ze keek op haar horloge, terwijl ze al bij de voordeur stond. 'Zet die schaal even in de magnetron, drie minuten op vijfhonderd watt. En voor niemand opendoen, behalve als je ze goed kent. Ik zet mijn mobiel op de trilstand, je mag altijd bellen als er iets is. Ik ben er hoop ik om twaalf uur weer, maar ik wil dat jij om half tien naar bed gaat, goed? Je moet morgen weer hockeyen, dus op tijd opstaan. Ik zie je morgenochtend. Doei.'

'Ja...' zei Kaat en ze zwaaide naar de deur, die alweer dichtsloeg. 'Doei...' Ze zuchtte en slikte de brok in haar keel weg. Daarna zette ze de schaal in de magnetron, deed de televisie aan en at de maaltijd binnen acht minuten op – inclusief een toetje.

DJ15

Kaat logde een uurtje later in op MyFriendz. Ze keek naar haar eigen pagina. Mooi, al zo'n 187 keer gezien en ze had er Knuffelz bij gekregen. Onder aan haar profiel konden bezoekers een berichtje achterlaten. Ze had drie nieuwe berichten, zag ze. Het eerste was van **FFxxxS**. Ernaast zag ze een fotootje van Fleur. Dat FF begreep ze wel: Fleur Flower. Xxx stond vast voor zoenen en de S was natuurlijk van Sven. Ze grijnsde en las het bericht.

Hey K. Coole pagina. Supaaah vet. Ik heb een leuke clip op mijn pag gezet, de nieuwste van Rozella. Trwens, EGT zooo stom dat Jas niet mee mag!!! Zielug!!! Heb zelf al 28 Knuffelz.
Luv you. xxx

Er was ook een bericht van David.

Yo. Leuke pagina!!! Leuke foto's ook, vooral die van je zomervakantie. Laterrrrr!

Kaat keek nog eens naar haar foto's. Ja, leuke foto's, dat vond ze ook. Ze had de foto dat ze op het strand was op Aruba, afgelopen zomer, erbij gezet. Dat vond ze zelf een hele mooie foto: ze zat op haar handdoek en keek lachend naar de camera. Haar haren waren in wel honderd vlechtjes gevlochten en ze was helemaal bruin. Ze had ook haar nieuwe bikini aan, die leuke rode met witte strepen. De ultieme Kaat-op-vakantie-foto.

Ze ging weer terug naar haar berichten.

DJ15 stond er. Daarnaast een foto van een jongen die ze niet kende. Hij zag er aardig uit en ze tuurde naar de foto om te zien of ze hem echt niet kende. Nee, besloot ze. Ze keek naar het berichtje.

Hai Snoepie12. Leuke pagina. Een van de leukste tot nu toe, vind ik. Ik heb je een knuffel gegeven. Ik zag je op de MyClub van Teen Star. Vind ik zelf ook een supersjow!!! Kijk ook 1s op mijn pagina. En wil je me toevoegen als vriend? Dan zou je de 200ste kunnen zijn.

Kaat klikte door naar zijn profiel en bestudeerde zijn pagina. DJ – zo heette hij blijkbaar – had veel vrienden, 199 om precies te zijn. Ze klikte op het icoontje **Vriendschap accepteren** en werd zo vriend nummer 200. Waarom ook niet, ze kon zichzelf altijd afmelden, bedacht ze. Hij leek haar wel leuk. Zijn pagina stond vol leuke clipjes en gadgets.

Opeens zag ze onder aan de pagina een flakkerend rechthoekje. Het werd steeds geel en dan weer groen. Er stond een naam in. **DJ15 online** las ze. Nu verscheen er een venster voor haar neus.

DJ15 zegt: **hoi.**

Kaat glimlachte. Gezellig, iemand om mee te kletsen.

Hoi typte ze terug en **wist niet dat je ook kon chatten via MyFriendz.**
DJ15 zegt: **ja, das t leuke eraan. Iedereen die in je netwerk staat, kan met je chttn als je online bent. cool! vlgns mij ben jij best nieuw op MF? welkom! en zeker als mijn 200ste vriend. zag je staan bij MyClub Teen Star.**
Snoepie12 zegt: **ja, heb ik vorug seizoen aan meegedaan!!!**
DJ15 zegt: **egt???? wow, een ster!**
Snoepie12 zegt: **ha ha, nou, zo ver kwamen we niet, maar wel meegedaan en dat was zuperrrrr!**
DJ15 zegt: **ag, zo'n mooi meisje als jij en dan niet winnen??? was de jury niet helemaal lkkr of zo?!?**

Kaat lachte en typte verder. Wat een slijmbal. Maar wel leuk, leuker dan hier in haar uppie in het stille huis tv-kijken.

Snoepie12 zegt: **hoe weet jij nou of ik mooi ben?**
DJ15 zegt: **je foto's, zie je toch zo, dat jij n beauty bent. een sgatjuh!**
Snoepie12 zegt: **zal wel. maar bij Teen Star gaat het wel om talent, niet om looks.**
DJ15 zegt: **ai... en je stem klonk als een misthoorn met een deuk erin?????**
Snoepie12 zegt: **duh.**
DJ15 zegt: **sorry. heb ff n pegdag vandaag en nou zeg ik ook nog zoiets onaardigs tegen je.**
Snoepie12 zegt: **pegdag?**
DJ15 zegt: **ja, hond is overleden...**
Snoepie12 zegt: **o.**
DJ15 zegt: **moesten m laten inslapen. was ziek.**
Snoepie12 zegt: **goh, wat zielug!!!**
DJ15 zegt: **ja, heb veel verdriet van.**

Kaat keek naar het scherm. Wat zielig. Ze voelde een enorm medelijden met de jongen.

Op dat moment ging de telefoon.

'Hallo?'

'Hai lieverd, met mama. Alles goed?'

Kaat keek op naar de klok. Wat? Was het al kwart over negen? Ze had zeker al twee uur op internet gezeten. 'Eh... ja hoor, beetje televisiegekeken en zo,' loog ze. Als mam wist dat ze twee uur achter de pc had gezeten... dat zou ze nooit goedvinden.

'Nou, het is een gekkenhuis hier, maar het wordt langzaam rustiger.

Ga jij zo slapen?'

'Mag ik in jouw bed?' vroeg Kaat. 'Nu pap er toch niet is?'

Mama lachte. 'Da's goed. Slaap lekker.'

'Ja, doei.'

DJ15 zegt: **hallohooooooo? ben je dr nog?????**
Snoepie12 zegt: **ja, was mn moeder aan de telefoon, moest ff met haar praten.**
DJ15 zegt: **o. zijn je ouders gescheiden dan? of is ze op vakantie?**
Snoepie12 zegt: **hoezo???**
DJ15 zegt: **omdat je moeder je belt? of is jullie huis zo mega dat je elkaar moet bellen?**

Kaat twijfelde even. Ze kende deze jongen niet, dus om nou zomaar te zeggen dat ze alleen thuis was...

Snoepie12 zegt: **zoiets ja. ze is naar haar werk. niet gescheiden hoor.**
DJ15 zegt: **mijn ouders wel. pa is in het buitenland gaan wonen. nu alleen met mijn zus en moeder.**
Snoepie12 zegt: **waar woon je?**
DJ15 zegt: **vlak bij A'dam. jij?**
Snoepie12 zegt: **ook. heet je echt DJ?**
DJ15 zegt: **nah. egte naam is saai. jij heet tog ook niet Snoepie12?**
Snoepie12 zegt: **ha ha. nee, eigenlijk Koekje12. LOL**
DJ15 zegt: **tja, weet niet of ik je kan vertrouwen...**
Snoepie12 zegt: **?????**
DJ15 zegt: **heb egt een saaie naam en straks lach je erom...**
Snoepie12 zegt: **egt niet!!!!! pleeze??? vertel ik je mijn naam.**

DJ15 zegt: **weet niet... oké. Dirk.**

Snoepie12 zegt: **nou, valt tog wel mee??? Kaat. eigenlijk Kathelijne.**

DJ15 zegt: **DJ klinkt leuker. hey, heb je een webcam?**

Snoepie12 zegt: **ja**

DJ15 zegt: **leuk. ik ook. kunnen we cammen. zet je m aan?**

Snoepie12 zegt: **niet nu, ga nou afsluiten, is al laat en ik moet morgen vroeg op.**

DJ15 zegt: **oké. jammer, volgende keer. kom je morgenavond weer online? ben ik r ook.**

Snoepie12 zegt: **misgien.**

DJ15 zegt: **toe??? met jou vergeet ik mn verdriet om Pepper, mn hond een beetje... is fijn.**

Snoepie12 zegt: **misgien, doei.**

DJ15 zegt: **doei beauty! slaap lekker.**

Kaat drukte het beeldscherm uit en keek op de klok. Jee, wat laat. De avond was voorbijgevlogen, dat had ze niet verwacht. Ze dacht aan Dirk. Ach, DJ was inderdaad wel een leukere naam. En hij was vijftien, dacht ze. Anders zou hij niet DJ15 heten. Een jongen van vijftien die haar wel leuk vond. En die de avond snel voorbij had laten gaan. Zielig voor hem dat hij net zijn hond verloren had. Maar hij werd in ieder geval vrolijk van haar. Ze neuriede een liedje en ging haar tanden poetsen.

Een jaartje Nederland

Het was zaterdagavond en Michael keek verveeld televisie. Zijn opa en oma zaten op de bank, oma maakte een kruiswoordpuzzel en opa zat te dutten. Pap zat aan de eettafel gebogen over allerlei papieren.

Thuis, in Australië, was er altijd wel iets te doen op zaterdagavond. Dan gingen ze bij elkaar barbecueën. Of ze gingen met een grote groep, waaronder vaak ook wat ouders, naar het strand. Een beetje voetballen of volleyballen, soms een vuur stoken en daar dan worstjes of marshmallows boven roosteren. Maar hier... hij zuchtte.

Oma keek op. 'Een ander woord voor "ellende"?' vroeg ze.

Michael haalde zijn schouders op.

'Verveel je je?' Pap keek op van zijn werk.

'Beetje wel, ja.' Hij voelde zich ongemakkelijk, want hij wilde niet zijn opa en oma voor het hoofd stoten door te zeggen dat het hier saai was.

'Zijn er geen vrienden met wie je wat kunt gaan doen?'

Michael schudde zijn hoofd. 'Nee, niet echt. Ik heb hier geen vrienden.'

Oma keek hem vragend aan. 'Nee? Niemand uit je klas?'

'Niet echt. Bovendien, we gaan toch weer weg, waarom zou ik daar veel tijd en energie in steken?'

'Omdat het anders een erg lang schooljaar wordt?' stelde pap.

'Hoezo, schooljaar? We zouden toch maar een paar maanden blijven?!' Michael ging wat rechter zitten en keek zijn vader boos aan.

'Tja... Het bedrijf heeft me hier een hele mooie klus aangeboden. Maar dat is wel voor een jaar... Dat zou betekenen dat we volgende zomer weer teruggaan.'

'Pap! Je had het beloofd.' Michael hoorde hoe zijn stem oversloeg. 'We zouden naar huis gaan.'

'Dat doen we toch ook? Alleen kan ik deze kans echt niet laten lopen, ik krijg er een behoorlijk bedrag voor, dan kunnen we thuis eindelijk dat zwembad in de tuin laten aanleggen en...'

'Maar ik wil geen jaar hier wonen!' riep Michael paniekerig uit en hij ging staan.

Opa werd door de commotie wakker en keek Michael slaperig aan.

Oma zei zacht: 'Och jee...'

'Mike...' Nu ging zijn vader ook staan.

'Nee! Nee!' Michael schudde zijn hoofd alsof hij daarmee zijn vader kon dwingen om zijn beslissing terug te draaien. 'We zouden naar huis gaan, het zou maar voor een paar maanden zijn, mama is ook nog thuis, daar. Het is hier saai en stom en ik haat het hier! Hier is geen zee en geen strand en ik kan hier niet surfen en ik mis mijn vrienden en je had het beloofd. En ik wil geen jaar hier zitten, in dit muffe huis met oude meubels en...' Hij schrok van zijn eigen woorden, maar het lukte hem niet ze te stoppen. Hij voelde de tranen over zijn wangen lopen. 'Ik verveel me hier en ik wil terug. Laat me dan alleen teruggaan.' Zonder het antwoord van zijn vader af te wachten, rende hij de kamer uit, de keuken in. Hij gooide de deur open en hoorde nog net hoe zijn opa zei: 'Nee, laat die jongen nou even gaan, Paul.'

Hij rende de tuin in, verblind door zijn tranen. Achter in de tuin, achter de boomgaard, was de boomhut. Zonder na te denken rende hij erheen. Hijgend stond hij onder de hut. De ladder was gemaakt van sterke takken en stukken hout. Ze waren glibberig van het mos, maar Michael greep zich vast en hees zichzelf tree voor tree omhoog. Wat dacht zijn vader wel niet? Dat hij hier in dit stomme land zou blijven?! Hij zou weglopen, een ticket naar Australië kopen. Boven aan de ladder liet hij zich op de houten vlonder zakken. Een paar spinnen kropen angstig weg. Michael liet zijn hoofd op zijn knieën zakken en huilde.

Hij zou hoe dan ook terug naar huis gaan.

Een ander woord voor ellende – nou, hij had er wel één: een-jaar-in-dit-stomme-land-wonen-zonder-zijn-moeder. Dat was pas ellende.

Het was al donker toen Michael voetstappen hoorde.

Hij hief zijn hoofd op en tuurde naar beneden. Hoe lang had hij hier eigenlijk gezeten? Lang. Het was fris geworden en donker, en zijn lijf voelde stijf aan.

'Mike?'

Hij hoorde zijn opa's stem. Michael zweeg even. Hij snufte.

'Ik dacht al dat je daar zou zitten,' zei opa en hij tuurde omhoog. 'Je moeder zat daar ook zo graag. Wacht, eens kijken of het me nog lukt om omhoog te komen. Dat is lang geleden...'

Michael keek over de rand van het plateau. De boomhut was net een miniatuurhuis. Het had vier houten muren, een dak, wat ramen met echte houten luiken en vóór het huis een overdekte vlonder, waar Michael nu op zat. Het was een grote boomhut, hij zou er met gemak in kunnen slapen, en met gebogen knieën kon hij er zelfs in staan.

Hij zag hoe zijn opa met beide handen de trapleuning vastgreep. 'Voorzichtig, grandpa...' zei hij. 'Hier, pak mijn hand maar.' Hij ging op zijn knieën zitten en leunde voorover. Hij stak zijn arm uit en voelde zijn opa's gerimpelde hand in de zijne knijpen.

Niet veel later zat opa naast hem. 'Dat was zwaar...' hijgde opa. 'Ik ben hier al... o, ik denk een jaar of vijftien niet meer geweest. De laatste keer...' Hij zweeg even en staarde naar de lucht. 'Dat was de avond voordat ze naar Australië vertrok. Zelf vond ze het ook erg moeilijk, om bij ons weg te gaan. Wij vonden het vreselijk. Je oma heeft er nooit echt vrede mee gehad, die heeft jouw moeder al die jaren enorm gemist.' Opa slikte hoorbaar.

Michael keek naar zijn profiel.

‘Maar het was haar leven. Ze wilde graag een jaartje naar Australië. Dat werden er uiteindelijk veel meer, omdat ze Paul, je vader, ontmoette. Wij waren wel blij voor haar, maar vonden het ook verschrikkelijk dat ze nu zo ver weg woonde. En dat was voordat er webcams en al die dingen bestonden. Internet was er niet, niet zoals nu. We konden dus alleen maar brieven schrijven en één keer per week bellen.’

Michael dacht na. Dat moest moeilijk zijn geweest. Nu kon hij bijna iedere dag chatten met zijn vrienden. Als hij mailde, mailden ze hem nog dezelfde dag terug. En hij kon ze zien met de webcam. Hij had zelfs een site gevonden met een webcam gericht op Bondi Beach, waar ze vaak naartoe gingen om te surfen. Zo had hij soms toch het gevoel een beetje thuis te zijn.

‘We zijn er denk ik... o, een keer of vijf, zes geweest. In Australië. We probeerden er om het jaar heen te gaan en dan bleven we twee maanden, kun je je dat nog herinneren?’

Michael knikte. Dat waren altijd erg leuke maanden geweest.

‘Voordat jij naar school ging, kwamen jullie ieder ander jaar dan weer hierheen. Meestal voor een maand, want je vader kon niet langer vrij nemen van zijn werk. Oma en ik vonden het wel erg dat we zo veel van jou moesten missen. Je was ons eerste kleinkind en het was moeilijk om je niet te zien opgroeien. Daarom vinden we het zo fijn dat je er nu een hele tijd bent.’

Michael zweeg nog steeds. Hij keek met een schuin oog naar opa.

‘Je moeder vond het moeilijk om te wennen in Australië, de eerste twee jaar. Het was dat ze je vader ontmoette, anders was ze zeker na een paar maanden teruggekomen. Ze miste Nederland. Ze was dol op de herfst, op al die blaadjes die dan vallen. Ze miste het sinterklaasfeest en de typische gezelligheid van op een terrasje zitten met vrienden. Iedere drie maanden moesten we haar een pakket sturen met allerlei dingen uit Nederland. Ze miste het op de fiets springen en lekker door de stad rijden en ze miste haar vriendinnen. We stuurden haar tijdschriften, hagelslag, stroopwafels, kaas. Van alles. En dan was ze weer even "thuis" zei ze altijd.'

Michael ging in gedachten terug. Ja, dat was waar. Hij was het zelf eigenlijk alweer vergeten, maar als zijn moeder een pakket uit Nederland kreeg, was ze een paar dagen heel vrolijk. Maar ook verdrietig soms, dan zei ze dat ze homesick was. Heimwee had.

Hij had er eigenlijk nooit zo bij stilgestaan wat mama allemaal gemist moest hebben. Hij dacht dat ze altijd erg gelukkig was geweest in Australië, hij wist niet beter dan dat ze daar thuishoorde. Hij dacht opeens aan momenten waarop ze naar Nederland had verlangd. Kerstmis bijvoorbeeld, dan was ze soms wat stil. Of wanneer opa en oma twee maanden geweest waren, dan moest ze de dagen na hun vertrek vaak huilen. Hij had er nooit echt over nagedacht. Maar natuurlijk moest ook zij verdrietig zijn geweest. Net als hij nu. Het zorgde er op een vreemde manier voor dat hij zich sterker voelde. Verbonden met mama. Want hij maakte nu eigenlijk hetzelfde mee. Hij keek weer naar zijn opa. Die leek hem beter te begrijpen dan Michael had gedacht. Beter dan zijn vader eigenlijk, leek het wel.

Opa wees naar de maan. 'Weet je wat ze altijd zei als een van ons heimwee had? Dat we gewoon 's avonds naar de maan moesten kijken en moesten bedenken dat de ander precies dezelfde maan zag. En dan leek de wereld niet zo groot, als je wist dat je allebei hetzelfde voorwerp kon zien vanuit je raam of tuin.'

Michael keek naar de maan.

Ja. Drew en Kylie zouden de maan ook zien. En het zou dezelfde maan zijn. Hij grinnikte even. Hij zou ze later mailen en vragen om eens wat vaker naar de maan te kijken. Die gedachte troostte hem. Hij zou misschien iets minder homesick zijn als hij naar de maan keek. 'Misschien ziet mama die maan nu ook wel...' fluisterde hij, 'waar ze ook is.'

Tentgroepjes

‘Oké, de ouders die mee willen op kamp hebben zich opgegeven. Ik heb alle namen op papiertjes geschreven, dus we kunnen loten. Dan weten we wie er over een week mee gaan.’ Meester Bas schudde een doos met papiertjes op en neer. ‘En de eerste ouder is...’ Hij haalde er een papiertje uit en vouwde het open. ‘Ah. De moeder van Sven.’

Sven lachte. Leuk.

De moeder van David werd gekozen en de vader van Roos.

Nu was er nog maar één ouder die mee kon. Michael keek naar de doos met namen en ging onderuit hangen.

Meester Bas stak zijn hand in de doos.

‘Tadaaaaa...’ roffelde Kaat op haar tafel.

Michael keek haar verstoord aan.

‘Ah. Het is de vader van Michael.’ Meester Bas schreef alle namen op het schoolbord. Er klonken wat teleurgestelde kreten van kinderen wiens ouders uitgeloot waren.

‘Mijn moeder is nog nooit mee geweest!’ zei Pieter beteuterd.

‘Het volgende kamp maken die ouders weer meer kans,’ verzachtte meester Bas de tegenvaller.

‘Hé, leuk voor je dat je vader mee mag!’ Kaat keek Michael aan.

‘Ja, vind ik ook.’

‘Blijft je moeder dan alleen thuis? Heb je trouwens nog broertjes en zusjes?’

Michael droedelde wat in zijn agenda. ‘No, geen broertjes en zusjes...’ Hij beet even op zijn lip.

Niemand in deze klas wist nog dat zijn moeder er niet meer was. Het was gewoon niet ter sprake gekomen en iedereen was ervan uitgegaan dat hij met zijn ouders uit Australië naar Nederland was gekomen. Thuis had iedereen dat geweten, de hele klas was bij de uitvaart geweest. Hier zou hij zomaar kunnen doen alsof ze nog leefde...

'Mijn moeder... die is dan thuis, ja.' Hij knikte. En bedacht dat het niet eens een hele grote leugen was – haar as stond tenslotte thuis, in Sydney. Het voelde raar, opwindend eigenlijk, om weer over zijn moeder te praten in de tegenwoordige tijd. 'Die is altijd het liefst thuis.'

'Oké. Dat moet fijn zijn,' ging Kaat verder. 'Mijn ouders... nou, die hebben een restaurant en zijn er eigenlijk nooit. Heerlijk als je moeder of vader wel thuis kan zijn. Die van mij kunnen ook nooit mee op kamp, en nu al helemaal niet. Mijn vader ligt in het ziekenhuis, hij heeft zijn been nogal lelijk gebroken. Uitgegleden over een sausje.'

Michael grinnikte. 'Een sausje?!'

Kaat grijnsde terug. 'Beroepsrisico.' Ze was blij dat ze hem aan het lachen had gekregen.

'Hé Jassina, mag je nou mee?' vroeg Fleur.

'Misschien.' Jassina haalde haar schouders op. 'Meester Bas gaat nog met mijn ouders praten. Dat vonden ze geen probleem, dus dat is al heel wat.'

'Nou jongens, de tentgroepjes zijn ook bekend.' Meester Bas keek de klas rond. 'Altijd spannend.'

Kaat kruiste haar vingers en keek Fleur en Frederique aan.

'Sven, David en Michael zijn één groep. Pieter, Joris, Tim en Mourad: ook een groepje. Emma, Yvette en Roos. Jullie zijn een grocpje.'

'Yes!' zeiden Roos en Yvette tegelijkertijd.

'Fleur, Frederique en Kaat. Ook een groep.'

Kaat stak blij haar duimen op naar haar vriendinnen.

'Carmen, Lelie, Mei en Sanne,' ging meester Bas verder, totdat hij de hele klas had ingedeeld.

Kaat grijnsde. Gelukkig lekker bij Fleur en Frederique in de tent. Dat werd keten en twee nachten niet slapen.

Maislolly's?!?

Kaat-wjnmk-Fleur-wjnmk-Fred zegt: dus nu mag hij naar huis komen. hij moet dan nog wel gewoon mt zn been rusten, maar is leuker dan in ziekenhuis.
Bloempje11 zegt: fijn voor jullie. hey, hoeveel Knuffelz heb jij al? ik 87!!!
Kaat-wjnmk-Fleur-wjnmk-Fred zegt: bijna 200!!!!!
Bloempje11 zegt:zag trwns laatst profiel van Emma. heeft r al dik in de 300! had filmpje van haar kleine zusje die zingt gemaakt en erop gezet. zo sgattig. net n engeltje. wil ook wel zoiets verzinnen om meer Knuffelz te scoren.
Kaat-wjnmk-Fleur-wjnmk-Fred zegt: ja, ff nadenken wat dan. wel vet trouwens dat we bij elkaar in de tent zijn ingedeeld. neem jij stiekem wat snoep mee? mag eignlk niet, maar ach...
Bloempje11 zegt: is goed, neem jij ook wat mee? vragen we ook aan Fred.
Kaat-wjnmk-Fleur-wjnmk-Fred zegt: doe maar niet... die neemt alleen biologisch verantwoorde snoepjes van thuis mee. maislolly's of zoiets, yuk.
Bloempje11 zegt: ha ha. zeg, jij kunt het wel steeds beter vinden met Michael, of niet?????
Kaat-wjnmk-Fleur-wjnmk-Fred zegt: hoezo?! ag, hij is wel egt aardig hoor. en hij ontdooit een beetje, eindelijk. wel leuk voor hem dat zn vader mee op kamp gaat, ben wel benieuwd naar zn ouders.
Bloempje11 zegt: ja, kan zomaar sgoonfamilie worden. ha ha LOL.
Kaat-wjnmk-Fleur-wjnmk-Fred zegt: duh, niet leuk dus. je vergeet zn vriendinnetje in Australië... oké, ik ga nog ff op MyFriendz kijken, ideeën opdoen voor filmpjes en om profiel te pimpen. is tog niemand thuis die me vertelt hoe laat ik naar bed moet. mama bij Lepels, en mn broer interesseert het niet. die zit tv te kijken. slaap lkkr!!!!! dikke zoen. tot morgen.
Bloempje11 zegt: zzzzzzzzzzzzz... jij ook. xxx
Bloempje11 meldt zich af.

Kaat typte het adres in van MyFriendz. Ze keek naar haar eigen profiel. Jammer, geen berichten. Ook niet van DJ15. Ze hadden gisteravond wel weer een tijdje gechat en hij had wéér gevraagd of ze haar webcam niet eens aan wilde zetten, zodat hij haar kon zien. En dus had ze haar webcam aangezet en even gezwaaid. Hij had gezegd dat ze mooi was, veel mooier en knapper dan hij gedacht had. Kaat had gebloosd. Een jongen van 15 die háár leuk vond. Ze had gevraagd of hij zijn webcam ook aan wilde doen, maar die bleek kapot te zijn, zei hij. Maar hij vond het wel erg fijn haar te zien, en hij vroeg of ze voortaan altijd haar webcam aan wilde zetten. Ach, waarom ook niet? Daar had ze hem tenslotte voor.

Ze klikte nu door naar de site van Emma en bekeek het filmpje van Emma's kleuterzusje, dat heel lief een liedje zong. Hé, als ze nou eens haar mobiel mee op kamp nam. Dat mocht eigenlijk niet, stond in het reglement, maar ze zou er ook niet mee bellen, ze zou er in de tent leuke filmpjes mee maken en die op MyFriendz zetten. Ze geeuwde en rekte zich uit.

Net toen ze wilde uitloggen, verscheen er een oplichtend icoontje onderaan in beeld. **DJ15 is online** stond er.

Pyjamaparty

Kaat keek even op de klok en beet op haar lip. Al bijna tien uur... En ze had natuurlijk gewoon school morgen.

DJ15 zegt: **hey hoi!**
Snoepie12 zegt: **hoi.**
DJ15 zegt: **dagt dat ieder1 al offline was, jij gelukkig niet. kan niet slapen, moet steeds aan Rakker, mn hond, denken.**
Snoepie12 zegt: **zou eigenlk ook al moeten slapen. straks komt moeder thuis en zit ik hier nog aangekleed...**
DJ15 zegt: **nou, doe je toch pyjama aan? kun je zo in bed springen. of slaap je zonder kleren???**
Snoepie12 zegt: **met.**
DJ15 zegt: **doe je webcam ff aan, dan kan ik je pyjama zien. heb ook mn pyjama aan, houden we pyjamaparty, ha ha. of durf je niet???**

Kaat beet even op haar lip. Hm. Was dat niet raar? Zomaar je pyjama aan een vreemde laten zien? Maar wat kon er nou gebeuren...En zo heel vreemd was Dirk ook weer niet, ze chatten immers geregeld met elkaar. Ze drukte op het aan-knopje op de webcam.

Snoepie12 zegt: **is die van jou nou al gemaakt???**
DJ15 zegt: **weenie. w8, zet m ff aan. zie je wat? ik zwaai nu naar je.**
Snoepie12 zegt: **nee.**
DJ15 zegt: **ha ha, is maar goed ook. trok gekke bek naar je. krijg misgien nieuwe, omdat ik zo verdrietig ben dat Rakker dood is. ik mis m nog zooooo!**
Snoepie12 zegt: **ja, zielig... maar je hond heette toch Pepper?!**
DJ15 zegt: **o, soms noemde ik m Rakker, soms Pepper. Eigenlijk**

had ie twee namen. hé, maar slaap je zo??? in een bloes? HI HI LOL.
Snoepie12 zegt: **neehee. had me nog niet omgekleed.**
DJ15 zegt: **doe dat dan, kan ik je pyjama zien.**
Snoepie12 zegt: **oké. w8 ff dan.**

Kaat duwde haar stoel weg en begon zich snel uit te kleden. Verdorie, waar lag haar nachthemd nou?! Ze stond in haar onderbroek en liep naar haar bed. Ah, daar onder haar kussen. Ze trok hem over haar hoofd en haalde nog snel een kam door haar haren.

Snoepie12 zegt: **tadaaaaa! pyjama aan.**
DJ15 zegt: **is mooie hoor. maar vlgns mij staat alles jou mooi...**
Snoepie12 zegt: **...**
DJ15 zegt: **nee, egt. jij zou model kunnen zijn. weet natuurlijk niet goed hoe je lichaam eruitziet en modellen moeten altijd een bepaald lichaam hebben, maar zou je zo kunnen zijn.**
Snoepie12 zegt: **hoe weet jij dat nou?????**
DJ15 zegt: **mn zus is model. dus weet r wel wat van af.**
Snoepie12 zegt: **o, leuk. is ze bekend?**
DJ15 zegt: **best wel. staat in Cosmo, Elle Girl en zo.**
Snoepie12 zegt: **wow!!! das cool. lijkt me egt geweldig!!!**
DJ15 zegt: **maar vlgns mij zou jij het net zo goed kunnen. weet je wat??? Ik ga Chloe wel even halen, dan kan zij kijken. en het tegen haar manager zeggen en wie weet word jij ook model!**
Snoepie12 zegt: **nou, weet niet of ik dat wel wil hoor... ga tog niet bloot voor de webcam voor jou en je zus?!?!? ben niet gek.**
DJ15 zegt: **hey, maar ik zag je net tog ook naakt? nou ja, op ondergoed na dan? toen je je verkleedde, had je webcam aan.**

Kaat snakte naar adem en herlas de woorden. Oeps, dat was stom!

DJ15 zegt: **niet schrikken hoor, is niet nodig. als ik naar het strand ga, zie ik meer naakt dan dat.**
Snoepie12 zegt: **ja, zal wel.**

Kaat dacht even na. Het was wel waar. Aan het strand zag je meer. En so what als hij haar even snel had gezien? Ze had gewoon haar ondergoed nog aangehad.

DJ15 zegt: **nou? zal ik Chloe even vragen te komen? en dan ga ik wel weg als zij je beoordeelt en kijkt of jij modellenmateriaal bent, oké?**

Kaat twijfelde.

DJ15 zegt: **staan jullie straks samen in de Cosmo. en volgens mij kijkt dan iedereen alleen naar jou!**

Model in de Cosmo... Kaat haalde diep adem.

Snoepie12 zegt: **oké. maar dan mag jij niet kijken!**

Het bleef even stil aan de andere kant. Natuurlijk, Dirk was zijn zus aan het halen. Kaat rende nog even snel naar de spiegel boven haar wastafel en deed wat lipgloss op. Ze bekeek zichzelf kritisch. Model! Nou ja, het zou kunnen. Ze was best lang, had al een taille en haar borsten begonnen te groeien. Ze had prachtig haar, dat zei iedereen.

Ze ging weer zitten. Eigenlijk best spannend.

DJ15 zegt: **zijn we dan. dit is Chloe.**
Snoepie12 zegt: **hoi Chloe! maar ik zie haar tog niet? je kapotte webcam???**

DJ15 zegt: **o ja, is waar! nou ja, Chloe zit naast me, heb haar verteld van jou. ze zal even inloggen en dan kunnen jullie chatten. Chloetje meldt zich aan.**
Chloetje zegt: **hoi hoi. DJ heeft alles verteld, dat je ook mdel wilt worden?**
Snoepie12 zegt: **nou, weenie. misgien.**
Chloetje zegt: **is leukste vak ter wereld en je verdient bakken geld. hey, maar heb niet zo veel tijd, moet slapen want morgen vroeg op voor shoot met Elle. je gezicht is wel mooi, regelmatig en mooie expressieve ogen. het gaat ook wel om je lichaam, zeker als je zomershoots doet.**
Snoepie12 zegt: **wat zijn shoots???**
Chloetje zegt: **o. fotosessies. dan ga je bijv naar Spanje en maak je in de zon een zomerreportage met pr8tige kleding. als je nou ff je nachthemd uitdoet?**
Snoepie12 zegt: **is je broer nog in de kamer dan?**
Chloetje zegt: **nee joh, is ff naar de wc.**

Kaat haalde diep adem. Ze ging rechtop staan en trok snel haar nachthemd uit. Hopelijk was die Chloe snel klaar.

Chloetje zegt: **prlma, en nu ff van de webcam weglopen en dan weer terug, alsof je op catwalk staat.**

Kaat draaide zich om en liep weg en weer terug naar de camera.

Chloetje zegt: **prima. een talent! en nu ff nog wel je broekje uit.**

Kaat beet op een nagel en typte **waarom?**

Chloetje zegt: **als je bikini's moet showen moet je echt perfect**

lijf hebben! en als model moet je er wel aan wennen hoor, dat je soms naakt moet, dan kun je niet preuts zijn. in Parijs, bij de grote shows, heb je egt geen eigen kleedkamertje, maar sta je gewoon met alle modellen bij elkaar, en dan heb je geen tijd om preuts te zijn. tja, als je liever geen model wilt worden!!!

Kaat trok zonder erbij na te denken haar onderbroek uit. Ha. Ze zou wel laten zien dat ze niet preuts was – wat dat ook betekende. Maar het klonk niet cool in ieder geval. En modellen waren het blijkbaar niet, preuts. Ze stond naakt voor de webcam.

Chloetje zegt: **oké! even weer lopen en wat poseren. handen in je zij en agter je hoofd en zo. en een beetje soepeler, als je zo stijf als n plank op de catwalk staat, wordt het nooit wat!**

Kaat giechelde. Het voelde wel heel idioot eigenlijk, maar ze deed wat haar gevraagd werd. Stel je voor, Kaat als model in de Cosmo en Elle.

Ze liep terug en pakte haar onderbroek. Zo, dat moest genoeg zijn. Ze trok ook haar nachthemd weer aan.

Snoepie12 zegt: **en???**
Chloetje zegt: **super. zal het er morgen eens over hebben op de shoot, misgien zoeken ze nog nieuwe modellen. nou, ga slapen, heb schoonheidsslaapje nodig. doei.**
Snoepie12 zegt: **ja, doei. ga ook slapen, nu al erg laat.**

Ze meldde zich af, deed het licht uit en ging in bed liggen. Ze zag zichzelf wel als model op een hagelwit strand onder een stralend zonnetje. Met de nieuwste bikini's van de hipste merken en iemand die de hele tijd haar make-up bijwerkte en haar haren kamde... Met een glimlach viel ze in slaap.

Wat ben je stom

'Wát heb je gedaan? Ben je niet goed bij je hoofd of zo?!' Fleur keek Kaat geschokt aan.

'Ssssst. Niet zo hard. Niemand hoeft het toch te weten?!' Kaat keek even om zich heen in de klas. De les was nog niet begonnen, ze had Fleur op gedempte toon verteld over hoe Chloe haar beoordeeld had.

'Maar Kaat, je gaat toch niet in je ondergoed voor een camera staan?' siste Fleur nu boos. 'Dat is toch stom!'

Kaat draaide even op haar stoel. Ze begon zich steeds ongemakkelijker te voelen. Ze had gehoopt dat Fleur haar zou steunen – en ze had nog niet eens gezegd dat ze ook haar ondergoed had uitgedaan. Want eigenlijk was ze vanochtend, toen ze wakker werd en nog even een paar minuten was blijven liggen, ook wel geschrokken van zichzelf. En zo leuk en makkelijk als het gisteren had geleken, zo vervelend voelde het nu. Hoe had ze zich nou kunnen uitkleden voor de camera? Ze kende die Chloe niet eens. Ze wist ook zeker dat ze er met haar ouders niet over zou kunnen praten, die zouden woest zijn als ze hoorden wat Kaat gedaan had.

Maar misschien viel het ook allemaal wel mee. Hoe lang had ze nou eigenlijk zonder kleren gestaan? Nog geen minuut.

'Nou, alleen die Chloe zag het,' zei Kaat verdedigend. 'En dat moest wel omdat ze zo kon beoordelen of ik een modellenlichaam heb. En dat heb ik volgens haar!' besloot ze triomfantelijk.

'Tja...' Fleur beet op haar lip. 'Toch kan ik niet geloven dat je dat gedaan hebt. Lees jij nooit kranten of zo?'

'Wat hebben kranten hier nu weer mee te maken?' Verdorie. Ze had gehoopt dat Fleur zou zeggen dat het erg leuk was, en spannend.

'Daarin staat toch regelmatig dat mensen er ingeluisd worden en dat er dan allerlei filmpjes op internet gaan circuleren. Daarom mag ik geen webcam. Omdat er dan zonder dat je het in de gaten hebt, filmpjes van je op internet komen te staan. Ik vind het echt wel megastom, hoor.'

'Je bent gewoon jaloers!' Kaat was nu boos. Haar hart ging behoorlijk tekeer. Zou Fleur gelijk hebben? Ze zou vanmiddag meteen DJ mailen en vragen of Chloe er was. 'Straks ben ik supermodel en jij bent nu gewoon jaloers omdat het jou niet gevraagd is.'

'Wat?! Ik, jaloers?! Kom op Kaat, denk even na. Ik ben niet jaloers, ik zou niet eens model willen zijn. Maar ik mag het toch wel stom van je vinden?'

'Weet je wat?' Kaat pakte haar boeken en stond op. 'Ik ga lekker naast iemand anders zitten. En als ik supermodel ben, hoef je niet opeens weer mijn beste vriendin te willen zijn. Ik dacht dat jij het wel zou begrijpen, maar nee hoor.'

'Kaat, doe nou niet zo...' Fleur keek haar niet-begrijpend aan. 'Kom op. Blijf nou zitten.'

Maar Kaat had haar spullen al gepakt en liep naar een lege plek. Zonder nog naar Fleur te kijken probeerde ze rustig te worden. Wat een stomme vriendin. Alsof zij, Kaat, zo stom was om een filmpje van zichzelf op internet te zetten. Kom op, zeg! Zo naïef was ze nu ook weer niet.

Als meester Bas al zag dat Kaat nu ergens anders zat, liet hij dat niet merken. 'Voor de kinderen van wie de ouders meegaan op kamp,' zei hij aan het einde van de ochtend, 'vergeet niet tegen ze te zeggen dat vanavond de kampvergadering is. En voor iedereen geldt: we gaan over vijf dagen op kamp, na het weekend. Dus zorg dat je fiets helemaal in orde is. Bel, verlichting, remmen; als iets het niet doet, heb je nu nog een paar dagen de kans om het te laten maken.'

'Meester? Gaat Jassina nu mee?' vroeg Frederique opeens.

'Misschien wel. Ik heb gisteren met haar ouders gesproken. Jassina, waarom vertel je het zelf niet even?'

Jassina schoof heen en weer op haar stoel en werd rood. 'Oké,' mompelde ze. 'Mijn ouders gaan erover nadenken of ik de hele dag op kamp mag zijn, en dan 's avonds word opgehaald om thuis te slapen.'

'Maar dat mag toch niet?' Joris keek naar meester Bas. 'Je moet toch altijd het hele kamp aanwezig zijn?'

'Nou, het komt wel eens voor dat kinderen die echt enorme last van heimwee hebben, tóch 's avonds na het avondprogramma door hun ouders worden opgehaald en de volgende ochtend in alle vroegte worden teruggebracht. Als het voor Jassina's ouders op die manier wel acceptabel is, maken we een uitzondering en mag Jassina 's avonds naar huis. Ah, de bel. Overblijvers naar de hal, de rest naar huis. Eet smakelijk allemaal.'

Een eigen plekje

'Hoe was de schoolkampvergadering?' Michael keek op van de tv toen zijn vader binnenkwam.

'Leuk. Ik denk dat het een paar heel gezellige dagen gaan worden.' Zijn vader ging naast hem op de bank zitten.

Zowel opa als oma was al naar boven gegaan.

'En de andere ouders die meegaan? Zijn die een beetje leuk?' Michael kende nog geen ouders van zijn klasgenoten. Hij had nog niet één keer afgesproken met iemand en had er weinig zin in kinderen bij hem uit te nodigen. Dan zouden er alleen maar vragen over zijn moeder komen. Hij had nog steeds niemand verteld dat ze overleden was.

Zijn vader was even stil en glimlachte afwezig. 'Ja, die zijn aardig ja. We zijn nog even met z'n allen blijven koffiedrinken op school. Ook je leerkracht is een leuke vent. Ik heb er wel zin in, moet ik zeggen. We zullen alleen wel wat kampeerspullen moeten kopen, want we hebben niets. Een tent kan ik trouwens lenen: de moeder van Sven had nog een extra tentje. Ik ga hem morgen even ophalen. Maar we zullen luchtbedden en slaapzakken moeten kopen. Ach, altijd handig. Zeg, het is inmiddels bijna half tien, je zou al in bed moeten liggen!' Maar hij klonk niet streng, bedacht Michael.

'Ja, maar ik wilde op jou wachten. En ik had nog wat gemaild naar Drew en mijn andere mates. Wist je dat de oma van Kylie vorige week is overleden?'

'Hm,' zijn vader klonk afwezig.

'Pap. Luister je wel?'

'O. Sorry, ik ben met mijn gedachten even bij het... kamp, geloof ik. Sorry, wat zei je?'

Michael zuchtte. Wat deed zijn vader raar. 'Dat Kylies oma vorige week is overleden. Maar ze was al bijna 85.'

'Mooie leeftijd, dat wel,' knikte pap. 'Ik had trouwens nog iets met je willen bespreken. Omdat we nu wat langer in Nederland blijven...'

'Niet langer dan de zomer! Je gaat toch niet zeggen dat we nog langer dan tot de zomer blijven, hè?!' Michael werd onrustig.

'Nee. Dat wilde ik niet zeggen. Maar ik had wel bedacht dat we niet de hele tijd bij opa en oma kunnen wonen. We hebben een eigen plekje nodig. Ik heb een appartement gevonden, voor ons tweeën. Het is er ruim en ik wilde je morgen meenemen, zodat jij het ook kunt zien. Wat denk je daarvan?'

Michael haalde zijn schouders op. 'Aan de ene kant wel fijn, ik bedoel, opa en oma zijn erg lief en zo, maar het is hier niet echt...' Hij zocht naar de juiste woorden.

'Dynamisch,' hielp zijn vader.

'Ja. Het is hier inderdaad wel érg rustig. En soms gewoon echt saai, pap. Ik bedoel, het is wel fijn dat we in mams oude huis wonen en zo en dat ik in haar kamer slaap, maar opa en oma kijken altijd zulke saaie programma's en ze eten ook altijd zo... bweh. Als ik nog één keer spruitjes moet eten...' Hij trok een gezicht.

Pap lachte. 'Tja, maar ze zijn wel enorm gastvrij. En ik vind het fijn dat we hier gewoon altijd over mama kunnen praten. Dat opa en oma dat begrijpen. Maar met een eigen plekje kunnen we kijken wat we willen, koken wat we willen.'

Dat wel, dacht Michael. Maar het was ook minder makkelijk om dan zomaar weer naar Australië te gaan, als je hier een huis had...

Het was alsof zijn vader zijn gedachten las. 'Het is een huurhuis. We huren het tot de zomer, daarna gaan we terug naar huis. Maar tot die tijd moeten we hier ook een thuis kunnen maken, in Nederland. En zo slecht is het hier niet, mama hield erg van dit land. Dus dan kunnen wij het ook. En soms...' Hij pakte Michaels hand even vast en dwong hem om hem aan te kijken, 'moet je daar net even wat meer moeite voor doen. Vrienden maken. Een plekje voor jezelf zoeken. Je best doen ergens tussen te passen. Dat maakt het allemaal wat makkelijker.'

'Dat doe ik toch...' mompelde Michael.

'Misschien wel. Maar probeer je ook hard genoeg om het hier naar je zin te hebben? Volgens je leraar ben je teruggetrokken en stil en heb je nog geen vrienden gemaakt in de klas. Zo ken ik je niet. Jij was altijd erg populair en je had ontzettend veel vrienden en er was niet één weekend dat je niet een feestje of een barbecue of een of andere sportactiviteit had.'

Michael zweeg.

'Nou, weet je wat? Jij gaat naar bed, morgen gaan we naar het appartement kijken en daarna halen we dat tentje op. En als we eenmaal verhuisd zijn, geef je een keer een feest of een barbecue of zoiets. Nodig wat kinderen uit je klas uit en huur een leuke film of zo. Je zult zien dat je ná dat schoolkamp veel meer vrienden hebt.'

Kaat beet op haar nagel en staarde naar het scherm.

DJ15 zegt: **nee joh, natuurlijk is r geen fillumpje gemaakt! wat denk je wel niet van ons!? alleen mn zus heeft je tog gezien??? vertrouw je me niet of zo???**
Snoepie12 zegt: **ja, maar iemand op school zei dat opeens, dat er dan soms filmpjes worden gemaakt.**
DJ15 zegt: **ja, zal wel, maar heb ik niet gedaan hoor. ik bedoel mn zus.**
Snoepie12 zegt: **oké. sorry dat ik jullie niet vertrouwde.**
DJ15 zegt: **ja.**

Kaat voelde zich steeds ellendiger. Nu was niet alleen Fleur boos op haar, ook DJ was teleurgesteld. Ze kon wel huilen.

Snoepie12 zegt: **nee egt egt egt sorry!!!!!!!**
DJ15 zegt: **oké. nou, ga nu sluiten. spreek je later wel weer.**
Snoepie12 zegt: **niet meer boos?????**
DJ15 meldt zich af.

Kaats lip trilde. Nou, dat ging lekker zo. Nog even en ze had geen vrienden meer over als ze in dit tempo doorging met ze te beledigen. Ze zette het beeldscherm uit en kroop in bed. In de kamer naast haar hoorde ze Luuk nog wat rommelen.

Mama was nog steeds in het restaurant en haar vader sliep al. Die was nu alweer een paar dagen thuis maar kon eigenlijk nog niet zo veel. Hij lag voornamelijk op bed of op de bank met zijn been in het gips. Hij moest van de artsen nog zeker een paar weken rust houden en bracht de dag door met kranten lezen, televisiekijken en haar en Luuk commanderen.

'Breng eens een glas sap.'

'Geef de post eens aan van beneden.'

'Kan het wat stiller met die muzick?!'

'Ik heb honger, wie maakt er even een boterham?'

En dat de hele tijd door. Ze zou blij zijn als hij weer naar het restaurant kon. Het enige voordeel van zijn gebroken been was dat hij nog steeds niet goed uit de voeten kon en niet zomaar haar kamer binnen kon lopen. En dus kon Kaat ongestoord op internet, en msn'en zonder dat haar vader het merkte. En zich uitkleden voor de webcam zonder dat haar vader het zag...

Ze had DJ vanavond gevraagd of Chloe al wat wist. Maar volgens hem was Chloe nu een paar dagen weg voor een fotoshoot en zat ze ergens in Frankrijk.

Ze draaide zich op haar zij en staarde in het donker. Ze was moe, maar het duurde lang voor ze uiteindelijk in een onrustige slaap viel.

Een tweede huis

'En? Wat vind jij ervan?' Pap keek Michael aan.

Ze stonden samen bij het raam en staarden naar buiten. Het uitzicht was mooi, ze keken uit over de hele stad. Het schemerde al wat, waardoor er onder hen een tapijt van opflakkerende lichtjes verscheen.

'Jij zou deze kamer kunnen krijgen, dan neem ik die aan de overkant van de hal. De computer zetten we in de woonkamer, dat is gezelliger voor ons beiden. En zo hou ik een beetje zicht op wat er allemaal gebeurt en wat voor rare bekken Drew tegen je trekt via de webcam.'

Michael tekende met zijn vinger zijn naam op het beslagen raam. 'Ja... 't Is wel een leuk appartement...' gaf hij met tegenzin toe.

'En dicht bij opa en oma, volgens mij kun je hun wijk hiervandaan zien. Dus kun je na school gewoon bij ze langs als je dat fijn vindt en je kunt naar de boomhut blijven gaan. Opa en ik gaan hem opknappen, zodat hij weer helemaal in orde is en dan mag jij er zo vaak komen als je wilt. Opa zei zelfs dat je er mag slapen, als het 's nachts niet te koud is. Volgens hem sliep mama er vroeger in de zomer ook wel eens met vriendinnetjes.'

'Cool.' Michael knikte en draaide zich om. Met zijn rug tegen het raam geleund keek hij rond. Daar zou zijn bed kunnen staan. En daar een bureau. Een luie stoel en een tafeltje voor zijn stereo. Het zou een 'thuis' kunnen worden.

En dat was precies wat hij er zo eng aan vond. Dat het een thuis zou worden zonder mama. Thuis – zijn echte thuis in Australië – zat nog vol herinneringen aan mama. Dat was fijn, dat troostte hem, dat hij gewoon op haar helft van het bed kon liggen en haar nog een beetje dacht te kunnen ruiken. Dat de keukenkastjes nog precies op haar manier waren ingedeeld en dat er in de badkamer nog halfvolle flesjes shampoo en badolie stonden die van haar waren geweest. Hier, in dit huis, zou niets van haar zijn.

Het zou een mamaloos huis zijn. Maar hij besefte ook dat ze niet altijd bij opa en oma konden wonen en dat het wel zo fijn zou zijn om gewoon harde muziek te mogen draaien zonder dat zijn grootouders er last van hadden. Of lekker lang uitslapen in het weekend zonder dat hij wakker zou worden van oma, die altijd vroeg op was en dan ging rommelen in de keuken.

Hij zuchtte. 'Oké. Prima. Ik denk dat je het maar moet nemen.'

'We. Niet ik, maar we. Dit wordt ons... tweede huis. Ja, dat is het. Ons tweede huisje, een vakantiehuis.'

Nu lachte Michael. 'Pap. Tweede huisjes staan meestal op exotische locaties zoals op Bali. Niet in drukke Nederlandse steden.'

'De verhuurder zei dat we er al over tien dagen in kunnen. Dat is na het schoolkamp. Als we dan de boel een beetje verven, kunnen we hier over een weekje of drie al wonen. We moeten ook meubels hebben. Opa en oma hebben nog wat op zolder staan en de rest kopen we wel. Dan wordt dit even ons nestje. En kun je ook eens vrienden uitnodigen. Misschien geven we wel een housewarmingparty.'

Daarna reden ze naar het huis van Svens moeder, om de tent op te halen.

'Jullie slapen in tenten van school. Maar de begeleiders moeten blijkbaar altijd een eigen tent meenemen.' Pap tuurde naar een naambordje. Ze hadden voor de komende weken een auto gehuurd en pap had het erover om misschien een tweedehands auto te kopen voor de periode dat ze in Nederland woonden. 'Hier is het, denk ik. Nummer 17a.'

Michael staarde naar het huis. Dus hier woonde Sven. Hij kon nog steeds geen hoogte krijgen van de jongens in zijn klas. David, ja, die was aardig. Maar met Sven klikte het niet echt. 'Ik wacht hier wel,' zei Michael en hij zette de radio wat harder.

Zijn vader keek hem weifelend aan. 'Nou... zou je niet even

meegaan? Dat is wel zo beleefd.'

Maar Michael schudde zijn hoofd en pakte een folder die in de auto lag. Hij deed net of hij oprecht geïnteresseerd was in de Technische Aspecten van Hydraulische Systemen.

Na drie minuten kwam zijn vader terug met een pakket in zijn handen. Hij opende de achterbak en legde de tent erin. Daarna riep hij Michael. 'Ze hebben ons uitgenodigd om een hapje te blijven eten. Kom.'

Sven en Michael zaten zwijgend naast elkaar aan tafel.

Svens zusje Eva keek zo nu en dan naar Michael. 'Heb jij een kangoeroe als huisdier?' vroeg ze opeens.

Michael lachte verbaasd. 'Nee. Kangoeroes zijn geen huisdieren. Maar er lopen er wel erg veel in het wild rond. Ze schieten soms zomaar de weg over en dat is best gevaarlijk.' Hij keek even met een schuin oog naar zijn vader.

Die zat glimlachend achterover geleund met een glas wijn in zijn hand te praten met Svens moeder, Annet. Hij leek volkomen op zijn gemak, in tegenstelling tot Michael en Sven, die niet veel tegen elkaar hadden gezegd.

'En koala's? Lopen die ook zomaar rond?'

'Nou, niet in de stad waar ik woon, daar zitten ze alleen in de dierentuin. Maar er zijn wel gebieden waar koala's vrij leven.' Hij schraapte het laatste beetje soep van zijn bord en legde zijn lepel neer.

'Wil je nog wat, Michael?' vroeg Annet.

'Nee, dank u.'

'Je hoeft geen u te zeggen, hoor. Zeg maar gewoon "jij". Sven, als jullie klaar zijn met eten, waarom ga je dan niet even op de Wii met Michael? Dan drinken Paul en ik nog een kopje koffie.'

'Goed idee,' riep Michaels vader enthousiast en hij stond op om te helpen de tafel af te ruimen. 'En wat een heerlijke pompoensoep was dat. Daar willen we wel het recept van, hè Mike?'

Michael keek geïrriteerd naar zijn vader. Wat stelde die zich aan, zeg.

Sven mompelde 'oké' en Michael mompelde 'mij best'. Ze zaten naast elkaar op de bank.

Zonder al te veel enthousiasme installeerde Sven een spel in de Wii. 'Ik wist niet dat je moeder overleden was,' zei hij plotseling.

Michael haalde zijn schouders op. Het was ter sprake gekomen tijdens het eten, toen Annet had geïnformeerd naar Michaels moeder.

'Rot voor je,' zei Sven en dat was de eerste keer dat hij oprecht iets aardigs tegen Michael zei.

Die keek even naar de grond en pakte toen een controller.

'Oké, let's game!' zei hij en hij drukte de A-knop in.

Ff msn'en

Fred-kan-niet-w8en-tot-kamp zegt: wat was dat nou, met jou en Fleur in de klas?
Kaat-wjnmk-Fleur-wjnmk-Fred zegt: ag, gewoon. ze zocht ruzie.
Fred-kan-niet-w8en-tot-kamp zegt: o??? is niets voor Fleur. waarom dan???
Kaat-wjnmk-Fleur-wjnmk-Fred zegt: weenie. nou ja, weet het wel maar doet er niet toe...
Fred-kan-niet-w8en-tot-kamp zegt: maar we gaan over 3 dagen al op kamp!!! en zitten met zn 3en in 1 tent... komt tog wel goed hoop ik?!?
Kaat-wjnmk-Fleur-wjnmk-Fred zegt: weenie. Hoop t wel natrlijk.
Fred-kan-niet-w8en-tot-kamp zegt: maar wat is t dan???
Kaat-wjnmk-Fleur-wjnmk-Fred zegt: mwah... heb iets gedaan waar Fleur t nie mee eens was... maar ze snapt t gewoon niet!
Fred-kan-niet-w8en-tot-kamp zegt: WAT DAN?????!!!!!
Kaat-wjnmk-Fleur-wjnmk-Fred zegt: ag, gewoon. ik word misschien model. een TOPmodel heeft me gezien en ze zei dat ze me zou gaan promoten bij haar agent. en nu is Fleur jaloers denk ik.
Fred-kan-niet-w8en-tot-kamp zegt: wat flauw zeg! dat is tog helemaal waaaaaaaaaaaanzinnig als je topmodel zou worden. WOW!!!
Kaat-wjnmk-Fleur-wjnmk-Fred zegt: ja, snap ook niet helemaal waarom ze r zo op tegen is. nou, moet ze zelluf weten. maar kamp gaat vast supaaah worden! heb er megazin in. moeten nog beslissen wat we gaan koken enz. en weet jij al wie onze kampouder wordt???
Fred-kan-niet-w8en-tot-kamp zegt: nee, als ie maar niet te streng is... die we vorig jaar hadden, de moeder van Carmen, die was helemaal niet leuk. mochten niet eens naar andere tenten overlopen van haar!
Kaat-wjnmk-Fleur-wjnmk-Fred zegt: ha ha! maar toen was het ook al 3 uur!!! 's nachts!!!!! kan me wel een beetje voorstellen dat ze er niet blij mee was... gaap geeuw... hi hi.

Sven-the-man meldt zich aan.

Sven-the-man zegt: hoi hoi!

Kaat-wjnmk-Fleur-wjnmk-Fred zegt: hey svennie!!!

Fred-kan-niet-w8en-tot-kamp zegt: hai S.

Sven-the-man zegt: wassup?

Fred-kan-niet-w8en-tot-kamp zegt: hebben t over kamp, beetje zin in? jij zit met David en Michael in de tent tog???

Sven-the-man zegt: yep! zal best leuk worden. hopelijk snurkt die nieuwe niet... ha ha. ZAAGSNURK wat gaan jullie doen op bonte avond?

Kaat-wjnmk-Fleur-wjnmk-Fred zegt: waarschijnlijk zingen en dansje. misschien wel wat we op Teen Star deden, dat is best leuk om nog eens te doen. jij?

Fred-kan-niet-w8en-tot-kamp zegt: neem jij je sax mee?

Sven-the-man zegt: nee joh. veel te kwetsbaar. springt er straks een kikker in of zo. misgien heeft Mike wel ideetje. als t aan David ligt, gaan we breakdancen denk ik. weet niet of Mike dat ook kan.

Fred-kan-niet-w8en-tot-kamp zegt: en anders zingen Kaat en Mike duet... een liefdesduet! zucht... supermodel samen met surffanaat. vind het wel een leuk setje, jij niet, Sven?

Kaat-wjnmk-Fleur-wjnmk-Fred zegt: Frederique!!!!! Grrrrrrrr.

Fred-kan-niet-w8en-tot-kamp zegt: wat???! je vindt het tog een sgatje? hey, Sven? heeft hij al laten weten of hij onze Kaat misgien tog ook n ietsepietsje lief vindt???

Sven-the-man zegt: weenie. weet je wat? ik vraag t m ff, hij zit hier nl naast me, mee te lezen... grijns grijns!!!

Sven-the-man zegt: zijn jullie r nog??? Frederique? Kaatje?

Fred-kan-niet-w8en-tot-kamp meldt zich af.

Kaat-wjnmk-Fleur-wjnmk-Fred meldt zich af.

Ouders begrijpen dat toch niet!

Kaat kreunde even en legde haar hoofd op het bureaublad.

Nou, het ging echt lekker... Zou Sven het echt menen, dat Michael naast hem zat? Maar Sven en Michael mochten elkaar niet eens. Tenminste, in de klas zeiden ze zelden wat tegen elkaar. Dus waarom zouden ze op vrijdagavond naast elkaar achter de pc zitten?!

Het was stil in huis. Pap lag op bed televisie te kijken, Luuk was naar een voetbalwedstrijd en mama was naar Lepels. Vrijdag- en zaterdagavonden waren altijd erg druk in het restaurant, en ze zou niet eerder thuiskomen dan middernacht.

Kaat bekeek wat YouTube-filmpjes, luisterde naar een clipje. Gedachteloos staarde ze naar het scherm en stopte wat M&M's in haar mond. Onrustig schoof ze op haar stoel.

Ruzie met Fleur.

Naakt voor een webcam gestaan.

En nu wist Michael dat ze hem wel leuk vond. Voor de tweede keer inmiddels. Dat was wel lastig aan chatten, dat je soms vergat dat iedereen mee kon lezen...

Ze slikte een brok in haar keel weg. Bah. Alles leek mis te lopen en het voelde helemaal niet goed.

Ze typte het webadres van MyFriendz in en meldde zich aan.

Al bijna 250 Knuffelz. Zo veel al? Ze fronste haar wenkbrauwen. Zo. Dat waren er wel erg veel ineens. Ze ging wat rechter zitten. Jammer dat je niet kon zien wie je die Knuffelz gaven. Ze was wel benieuwd waar haar populariteit opeens vandaan kwam.

Onder in het scherm flikkerde een groen-geel schermpje.

DJ15 meldt zich aan.

Kaat keek vertwijfeld naar het scherm. Zou ze uitloggen? Ze had geen zin in nóg meer ruzie en de laatste keer was DJ niet echt vriendelijk geweest. Ze hield haar vinger boven **Afmelden** en wilde net klikken toen er iets op het scherm verscheen.

DJ15 zegt: **hoi.**

Kaat beet op een nagel. Zou ze antwoorden?

Het hele scherm trilde opeens.

DJ15 

Snoepie12.
DJ15 zegt: **hallohoooooo? aarde aan Snoepie12! kom binnen, Snoepie12!**

Kaat moest lachen. Ach, hij leek niet boos meer en het was saai in huis en er was verder niemand om mee te chatten. Waarom ook niet?

Snoepie12 zegt: **hai.**
DJ15 zegt: **lang niet gesproken! miste je al.**
Snoepie12 zegt: **ja ja, zal wel.**
DJ15 zegt: **nee, egt! trouwens, Chloe is er niet aan toegekomen om met haar agent te praten, het was erg hectisch en druk, maar ze belooft het volgende keer wel te doen. ze is nu naar Parijs. modeshows geloof ik.**
Snoepie12 zegt: **oké, dan komt het wel. weet trouwens toch niet wat mn ouders ervan zouden vinden, dat ik model zou worden.**
DJ15 zegt: **zou het niet eens tegen je ouders zeggen, joh. die begrijpen dat soort dingen nu eenmaal niet, onze ouders waren er ook helemaal tegen dat Chloe model werd. heb je r al met je ouders over gesproken dan???**
Snoepie12 zegt: **nee. die hebben het errug druk met van alles en**

nog wat.
DJ15 zegt: lijkt me ook egt beter dat je ze r voorlopig niet bij betrekt, hoor. trouwens: het is jouw leven. jij bepaalt tog zekur zelluf wel wat je wilt of niet?!? je bent tog al een 'grote meid'?!? of niet soms?!?
Snoepie12 zegt: ja, duh. dacht t wel.
DJ15 zegt: dus houden we t gewoon nog even tussen ons tweetjes.
Snoepie12 zegt: drietjes toch? je vergeet je zus.
DJ15 zegt: o ja. en verder? heb je al een luvver trouwens???
Snoepie12 zegt: een watte?
DJ15 zegt: lover. vriendje. amore. boyfriend.
Snoepie12 zegt: o. nou, niet egt. nog niet.
DJ15 zegt: maar wel in luv......?
Snoepie12 zegt: hm, beetje.
DJ15 zegt: met moi? ha ha. wat ik me natuurlijk levendig kan indenken, met mijn knappe looks en gespierde lijf en gevoel voor humor en zo...
Snoepie12 zegt: en zo bescheiden ook. LOL
DJ15 zegt: op wie dan?????
Snoepie12 zegt: vertel ik nie.
DJ15 zegt: hoezo??? ken ik tog niet.
Snoepie12 zegt: nee, da's waar. maar toch.
DJ15 zegt: oké. streep maar aan: het is iemand uit je klas ja/nee.
Snoepie12 zegt: ja.
DJ15 zegt: hij staat op je MyFriendz ja/nee.
Snoepie12 zegt: nee.
DJ15 zegt: hij zit op je MSN ja/nee.
Snoepie12 zegt: ja.
DJ15 zegt: maar stiekem vind je mij veel leuker ja/ja.
Snoepie12 zegt: ha ha. mocht je willen!
DJ15 zegt: typte je nou verkeerd? moest daar niet staan 'ja ja!'???

De niet-verkering is uit

Die maandagochtend stond Michael al vroeg op. Vandaag was het zover. Het schoolkamp. Hij kreeg meteen buikpijn bij de gedachte.

Hij wist nog steeds niet goed wat hij ervan moest vinden. Het was in ieder geval fijn dat zijn vader meeging. Maar de moeder van Sven zou ook meegaan en dat gaf hem een raar gevoel. Sinds ze vrijdagavond bij Annet, Sven en Eva waren gaan eten, hadden zijn vader en Annet elkaar al twee keer gebeld. Dat beviel hem helemaal niet. Niet dat hij die Annet niet aardig vond, ze was best leuk en vrolijk, maar hij wilde gewoon niet dat zijn vader iemand anders dan mama leuk zou gaan vinden. Maar Sven had ook gezegd dat ze al een vriend had, dus eigenlijk maakte hij zich druk om niets. Hoopte hij.

Hij keek naar de tas op de grond en pakte het inpaklijstje dat ze van meester Bas hadden gekregen om nog één keer te controleren of alles erin zat.

Luchtbed / slaapzak / kussen
Sportkleding / sportschoenen / regenlaarzen
Ondergoed / nachtgoed / knuffel
Boeken / spelletjes / handdoeken
Zwemkleding / zonnebrand / anti-muggenstift
Bord / beker / bestek
Tandenborstel / tandpasta / zeep en shampoo
Zaklamp / regenpak
Extra trui (het kan 's avonds koud zijn)
Extra set droge kleding
Medicijnen (afgeven aan je kampouder)
Goed humeur en hEEEl veel zin om er een geweldig kamp van te maken.
Neem ook een lunch mee voor de eerste dag en zorg ervoor dat je fiets helemaal in orde is (remmen, verlichting, banden goed opgepompt).

Wat NIET mee mag (wordt ingenomen bij controle):
Snoepgoed / mobieltje / spelcomputer
Geld / mp3-speler

Michael graaide even in zijn weekendtas en haalde toen zijn mp3-speler eruit. Jammer, maar die zou hij dan maar niet meenemen. Er stonden veel nummers van thuis op. Kylie had speciaal voor hem ook nog een afspeellijst gemaakt met haar favoriete muziek.

Wat zou zij op dit moment doen? Hij keek op zijn wekker. Kwart over zes in de ochtend. Dan was het thuis nu kwart over twee in de middag. Misschien was ze wel online.

Hij keek even naar een foto die hij op het prikbord boven zijn laptop had gehangen. Daarop stonden ze met z'n drieën – Kylie, Drew en hij – op het grasveld bij school. Kylie was voor een kwart Aboriginal, de oorspronkelijke bevolkingsgroep van Australië, en had daardoor een prachtig karamelkleurige huid. Hij was al verliefd op haar geworden toen ze pas zeven jaar oud waren. Ze waren bij elkaar in de klas gekomen en vanaf dat moment vrienden geweest. Een paar maanden voordat hij naar Nederland vertrok, had hij haar opeens gezegd dat hij verliefd op haar was. Ze had een beetje gelachen en was rood geworden. En vanaf dat moment hadden ze verkering gehad. Ze waren een paar keer naar de film geweest, hadden op een feest van Drew een keer geschuifeld en één keer had hij haar, onhandig en verlegen, een zoen op haar mond gegeven. Verder was er weinig veranderd. Hij voelde zich gewoon op zijn gemak bij haar. Ze was altijd een van zijn beste vrienden geweest en toevallig ook nog een meisje. Toen hij naar Nederland vertrok, hadden ze afgesproken dat ze geen verkering meer hadden en dat ze wel verder zouden kijken als Michael weer terug was.

Hij pakte zijn laptop in bed en zette hem aan.

Hij logde in op MSN, maar jammer genoeg was er niemand van

zijn oude klas online, ook Kylie niet.

Maar hij had wel mail. Een mail van haar.

Hij klikte op het bericht en begon te lezen.

Aan: **surfingmike@hotmail.com**

Van: **sunnygirl@freetalks.com**

Onderwerp: **van alles**

Hey Mike!!!!!
Alles nog goed met je in dat rare kleine landje?! Wat las ik nou in je laatste mail? Schoolkamp? Met z'n allen in tentjes slapen?!
Best wel cool. Er zal wel behoorlijk gefeest worden dan, of zijn ze erg streng daar? Is het er koud? En loopt iedereen echt op klompen, zoals ze altijd zeggen? En molens, zie je die veel?
Het is hier warm. Op dit moment zo'n 30 graden, dus we doen weinig anders dan een beetje chillen aan het zwembad en dan 's avonds na het eten bij elkaar komen op het strand.

Hier stopte Michael even en hij staarde uit het raam. Wat zou hij graag daar willen zijn. Aan het zwembad en dan 's avonds naar het strand... Hij zuchtte.

Drew geeft morgen een feest. Hij wordt alweer 14. Voor je het weet zijn we een stel oude bejaarden bij elkaar, die achter rollators langs de boulevard lopen! Hi hi.
We hebben een nieuwe leraar. Hij geeft tekenles en kan geweldig tekenen. Hij zegt dat ik talent heb en dat ik moet overwegen om later kunstacademie te gaan doen. Ik, kunstenaar?! Maar Drew zegt dat hij wel gelijk heeft.
Over Drew gesproken...
Ik weet niet zo goed hoe ik dit moet zeggen.

We hebben toch afgesproken dat we geen verkering meer zouden hebben zolang jij in Nederland bent? Dus eigenlijk is er geen probleem. Maar ik vind toch dat je het moet weten. Drew en ik... nou ja, we zijn verliefd geworden op elkaar. En hebben dus verkering ☺
Ben je heel boos nu? Ik hoop het niet!!!!! ☹ Ik hoop wel dat je gewoon mijn lieve vriend blijft, maar dan een vriend zonder verkering. We kennen elkaar al zo lang, jij bent net een broer voor me en ik zou het heel jammer vinden als je nu hééééél boos zou zijn. Het is ook moeilijk om verliefd te blijven op iemand die er niet echt is, snap je? En je bent al bijna drie maanden weg, met de vakantie erbij. Dat is zoiets als een eeuwigheid in liefdesland.
Ik hoop wel dat je terugmailt.
Veel plezier op dat kamp (wanneer is dat trouwens?)
en tot gauw!
Kus van Kylie :x

Michael staarde met bonkend hart naar het scherm. Hè?! Kylie en Drew? Hij herlas de laatste paar zinnen nog een keer. Ja, het stond er echt. Kylie en Drew. Wat een nepvriend zeg, die Drew. Dat deed je toch niet, als beste vriend ervandoor gaan met het meisje.

Hij zag in de inbox dat er ook een mail van Drew bij zat. Die had lef! Hij klikte op het bericht.

Van: **surfingdrew@hotmail.com**
Aan: **surfingmike@hotmail.com**
Onderwerp: **Kylie**

Good day mate.
Nou, ik dacht: laat ik ook maar even mailen nadat Kylie het heeft

gedaan. Kan me voorstellen dat je ff schrok, maar no worries, jullie waren toch al uit elkaar. Toch?!
Eigenlijk vond ik Kylie al jaren leuk, maar ja, jij bent mijn beste vriend, dus liet ik dat niet merken. Nu jij weg was, trokken we veel meer met elkaar op en zo is het eigenlijk gebeurd. Hoop wel dat je er niet te veel mee zit. Maar er zullen daar toch ook wel genoeg hele leuke meiden zijn?! Nederlandse meisjes zien er meestal goed uit!
Het is hier snikkieheet, man. In de klas hebben we nu gelukkig airconditioning en we gaan overmorgen zelfs met de hele klas gewoon lekker zwemmen in plaats van leren! Is veel beter. Jammer dat je er niet bij bent. Maar jij hebt het daar inmiddels vast ook reuze naar je zin. Schreef je nou dat jullie gaan verhuizen? Kom je niet terug dan dit schooljaar??? Dat was toch het idee, dat jullie na de jaarwisseling terug zouden zijn?
See ya!
Drew

Michael werd uit zijn gepeins gehaald doordat zijn vader op de deur klopte en meteen binnenkwam.

'Goedemorgen. Zie dat jij ook al zo vroeg wakker bent. Beetje geslapen?'

'Jawel,' mompelde Michael.

'En heb je zin in het kamp?' Zijn vader ging op Michaels bed zitten.

'Beetje.'

'Kom op, je zult zien dat het erg leuk wordt. Ze voorspellen goed weer, dus dat is fijn voor het kamperen.' Hij wees naar het scherm. 'Aan het chatten met je oude klasgenoten?'

Michaels schouders zakten omlaag. Vroeger kon hij alles tegen zijn moeder zeggen. Sinds zij er niet meer was, had hij moeten leren om dingen ook met zijn vader te bespreken en dat was voor hen beiden wennen geweest. ‘Kylie heeft verkering met Drew,’ zei hij nu zuchtend.

‘O...’ Zijn vader leek niet goed te weten wat hij moest zeggen. ‘Maar het was tussen jullie toch niet echt... aan meer?’

‘Nee, dat niet. Maar ik dacht eigenlijk dat, als we na een paar maanden naar huis zouden gaan, we gewoon weer verder konden gaan waar we gebleven waren.’

‘Ik snap het. En nu? Wat vind je ervan, Kylie en Drew samen?’

‘Stom.’

‘Tja. Zo gaan die dingen blijkbaar. Jullie zijn natuurlijk ook nog jong, dus...’

‘Pap! Dat vind ik nou zo’n stomme opmerking, dat we nog jong zijn. Alsof dat er wat toe doet.’

Zijn vader zuchtte. ‘Ach, mama zou wel weten wat ze nu tegen je moest zeggen. Ik niet zo goed. Weet je wat? We gaan samen ontbijten, daarna douch je nog even want dat wordt op het kamp moeilijker, en dan hebben we het er na kamp nog een keer goed over, oké?’ Hij pakte Michael vast en trok hem even tegen zich aan.

‘We gaan er gewoon een te gek kamp van maken. Wedden dat je Kylie dan zo vergeten bent?!’

Michael zuchtte. Alsof het zo werkte. Maar hij liet zich toch omhelzen door zijn vader.

Huilen en zwaaien

Kaat gooide haar bagage op de achterbank van de auto.

Haar moeder keek bedenkelijk naar de grote roze koffer. 'Lieverd, weet je zeker dat je die koffer met wieltjes mee moet nemen? Je gaat op schoolkamp; dat is meestal niet op hele luxe campings met allerlei mooi aangelegde wandelpaadjes en zo.'

'Nou, dan draag ik hem toch?! En zo blijven al m'n spullen netjes.' Kaat draaide zich om en liep nog even naar haar vader.

Hij stond op krukken in de deuropening. Ze zoende hem op zijn wang.

'Veel plezier, lieverd. Blijf niet de hele nacht op en probeer in ieder geval elke dag je tanden te poetsen.'

'Ja ja!' lachte Kaat. 'Daar let meester Bas wel op. Als het moet, komt hij persoonlijk ieders tanden poetsen, ha ha! Doei. Tot woensdag.' Ze zwaaide nog even en pakte haar fiets. 'Mam, dan zie ik jou zo op school, toch?'

'Ja, fiets voorzichtig, ik kom over vijf minuten.'

Kaat fietste snel door. Ze had zo'n zin in het kamp! Er was nog wel het gedoetje met Fleur, maar ze had vannacht besloten dat ze normaal tegen haar zou doen. Anders zou het kamp helemaal niet leuk zijn. En als zij normaal zou doen, zou Fleur vanzelf ook normaal doen.

Een half uur later stond groep acht klaar om te vertrekken. Alle koffers waren in een busje gezet, samen met de overige bagage, zoals de inkopen, de tentjes van de kampouders en nog veel meer. De tenten voor de kinderen zouden al klaarstaan, omdat in de voorafgaande weken andere groepen van de school daar hun kamp hadden gehouden. Wel zo makkelijk.

Ze hadden allemaal een routebeschrijving gekregen en moesten in groepjes samen met hun kampouder naar het kamp fietsen. Wanneer ze daar vanmiddag aankwamen – onderweg zouden ze stoppen om te snacken – zou de bagage er al staan.

Kaat stond naast Frederique en achter haar stond Fleur. Blijkbaar had Fleur ook besloten normaal te doen, en een beetje onwennig hadden ze elkaar begroet. Hun kampouder was Roos' vader. Hij had ook de leiding over het groepje van Michael, Sven en David. Gezellig. Dat betekende dat ze met z'n zessen zouden koken en eten; ieder groepje moest zelf koken op een gasstelletje en samen beslissen wat ze zouden eten. Ook hadden ze samen corvee en zouden ze opdrachten spelletjes met elkaar doen.

Kaat zwaaide nog even naar haar moeder en keek toen weg.

Ze had wel zin in kamp. Maar toch voelde ze hoe haar keel dikker werd. Kon mama maar mee...

Al toen ze klein was, had Kaat soms enorme moeite met logeren, omdat ze altijd vreselijke heimwee kreeg. En zo nu en dan stak dat weer de kop op. Zoals nu dus. Verdorie, daar had ze even niet op gerekend. Heimwee hoorde niet bij haar kampprogramma. Maar toen meester Bas op zijn fluitje blies als signaal dat de groepen mochten gaan fietsen, kon ze haar moeder niet aankijken.

Ouders riepen van alles.

'Veel plezier!'

'Tot woensdag!'

'Kijk uit met fietsen.'

'Denk je aan je pillen?' Dat was Tims moeder, want Tim was het drukste kind van de hele school en soms werd meester Bas knettergek van zijn hyperactieve gedrag.

'Heb je echt alles bij je?' Carmens moeder keek bezorgd naar haar dochter.

Yvettes moeder veegde wat tranen van haar wangen en Roos' moeder sloeg een arm om haar heen.

Fleurs ouders waren er allebei, ze stonden naast Kaats moeder.

Frederiques zus was er. Iedereen zwaaide en rinkelde met de fietsbel en het hele plein stond vol kinderen die groep acht kwamen uitzwaaien.

Hè nee. Kaat slikte boos maar het was al te laat. De eerste tranen drupten langs haar wangen.

'Kaat? Moet je niet zwaaien, je moeder staat helemaal op en neer te springen.' Frederique zwaaide naar haar zus. 'Doei, wel uit mijn kamer blijven, hè?!' lachte ze en keek toen naar Kaat. 'Ach jeetje... is het weer zover?' zei ze vol medelijden.

Kaat kon alleen maar knikken en staarde met betraande ogen naar de weg, zonder nog naar haar moeder te kijken.

Het gerinkel van de fietsbellen verstomde in de straat. Kinderen moesten weer de klas in.

Groep acht was vertrokken. Op weg naar het een na laatste kamp van de basisschool.

Regels en zo

Kampeerboerderij De Groeven lag diep in het bos. Het was niet veel meer dan een groot stuk grond met een grasveld en één gebouwtje waar twee toiletten en een douche waren. Iets verderop lag het huis van de boer van wie het land was, maar daar hadden ze weinig mee te maken. Er stonden wat koeien achter prikkeldraad, er was een grote paddenpoel en verder waren er veel stukken bos die bij de boerderij hoorden en waar je geweldig kon spelen. De tenten van school stonden in kleine groepjes van twee of drie met daartussen ruimte voor de tent van de kampouder. Verderop stond één enorme witte tent, meer een soort huis leek het wel, waar de hele groep in paste om te eten of te zitten als het regende. Deze tent heette de moedertent en het was de verzamelplek bij alle activiteiten. Daar werden ook alle inkopen in koelboxen bewaard, stonden kratten met spelletjes en knutselspullen van school, kratten met sportmaterialen en dozen vol lekkers. De kookkisten waren daar ook: grote houten kisten met daarin een kooktoestel, een gasfles, pannen en kookgerei. Iedere tentgroep kreeg een eigen kookkist om daarmee 's avonds zijn eigen maaltijden te bereiden.

De groep van Fleur, Kaat en de rest kwam als eerste aan in het kamp. Hun bagage lag al in de moedertent. Alleen meester Bas was er. Ook hij was met de auto gegaan, zodat er altijd één auto aanwezig was voor noodgevallen. Vorig jaar was er in groep acht een meisje uit de boom gevallen en had haar arm gebroken. Toen kon ze met de auto naar het ziekenhuis gebracht worden. En het was ook wel eens voorgekomen dat er 's nachts iemand ziek werd en naar huis ging met de auto.

Nu zat meester Bas op een stoeltje in de zon. Hij had een korte broek aan en een zonnebril op en naast hem stond een mok koffie. 'Ha. De eerste gasten. Welkom jongens, op jullie kamp.' Hij zwaaide even. 'Zet jullie fietsen maar daar op dat stuk weiland,' hij gebaarde naar een plek naast het kampterrein, 'en lever je fietssleutel bij mij in. Michael, kon je het een beetje bijhouden, dat fietsen? Doen jullie dit soort dingen ook in Australië?'

Michael sprong van zijn fiets. 'Ging best, hoor. Wij doen dit eigenlijk niet. We maken wel schoolreisjes en zo, maar niet zo met kampen en tenten.'

Sven, Michael en David zetten hun fiets weg.

Een uur later waren alle groepen gearriveerd. Ze zaten op de grond en aten hun meegebrachte lunch.

Iedereen lachte en kletste door elkaar. Kaat voelde zich alweer een stuk beter en hapte in een broodje gezond dat haar moeder vanochtend gemaakt had.

'Oké, we gaan even het programma doornemen,' zei meester Bas, 'dus allemaal luisteren nu.'

Joris en Tim praatten ongestoord door.

Pffffffffffiiiiieeeuw.

Meester Bas floot op een scheidsrechtersfluitje. 'Dit fluitsignaal betekent dat iedereen naar de moedertent moet komen of dat je allemaal je mond moet houden als je er al bent...' Hij keek streng naar Tim en Joris. 'Twee keer het fluitje negeren betekent een kwartier in de moedertent zitten. Begrepen?'

Iedereen knikte. De kampouders – de moeder van Sven, de vader van Roos, de vader van Michael en de moeder van David – zaten op een houten bank aan de lange picknicktafel.

'Allereerst gaan de kampouders hun tent opzetten. Als ze hulp nodig hebben, moeten jullie die geven. Ondertussen mag iedereen zijn eigen tent gaan inruimen. Dus je luchtbed, slaapzak en noem maar op. Maak er geen troep van, je weet dat het groepje met de netste tent een leuke prijs kan verdienen. Andere regels: we houden het terrein schoon. Als je afval vindt, ruim je het op. Er wordt na tien uur 's avonds geen herrie meer gemaakt, want de boer wil ook slapen. Wanneer je het bos in gaat of naar de koeien wilt, meld dit dan eerst bij je kampouder, zodat we weten waar je bent. Wie naar het toilet gaat, kan hier wc-papier pakken, en denk eraan: doorspoelen en zorgen dat de boel netjes blijft. Zet je schoenen altijd in de voortent, zo blijft de binnententent schoon en droog. Doe altijd de rits dicht als je de tent verlaat. Je wilt geen enorme kevers of spinnen of wespen in je tent.'

Een paar kinderen griezelden en lachten.

'Dan: het programma. Vandaag doen we niet zo veel meer. We richten de tenten in en dan zijn jullie tot een uur of drie vrij. Je kunt lekker gaan voetballen op het veldje hiernaast, ik heb badmintonspullen bij me, maar je mag ook aan de picknicktafels hier spelletjes doen of een boek lezen. Je kunt ook alvast je act voor de bonte avond gaan oefenen want we verwachten natuurlijk een topshow hier, met al die talenten van Teen Star in de klas.

Om drie uur fietsen we met onze eigen groepjes en onder leiding van de kampouder naar de supermarkt, een ritje van zo'n vijftien minuten. Je zorgt dus dat je van tevoren weet wat je met elkaar gaat koken, en denk aan je budget. Per persoon heb je twee euro; de kampouder neemt het geld mee.'

'Dat is toch veel te weinig?' Kaat keek verbaasd op. 'Wat kun je nou voor twee euro eten?'

'Genoeg,' zei meester Bas. 'Sterker nog: je moet er een voorgerecht, hoofdgerecht en toetje van kunnen betalen. En dat lukt echt wel, hoor.'

Kaat snapte er niets van. Bij Lepels stond er niet eens één ding op de kaart voor twee euro, laat staan een driegangenmenu.

'Als jullie terug zijn, mag je nog wat voor jezelf doen en dan gaan alle groepjes koken, zodat we rond half zeven kunnen eten. Dan afwassen en opruimen. Daarna begint het avondspel. We hebben iets spannends bedacht met een veroveringsspel in het bos hierachter, dus dat wordt leuk. Daarna nog wat drinken en iets lekkers, om tien uur uitkleden en tandenpoetsen en om half elf in bed. Ik wil dat het om elf uur stil is.'

'Dan al!' riep David uit. 'Dan begint het pas. Overlopen!'

Iedereen lachte.

'Eh... ja, wat dat overlopen betreft...' Meester Bas keek rond.

Overlopen was een echte sport. Als het je lukte om, zonder dat iemand van de kampleiding je zag, van je eigen tent naar de andere tent te gaan, dan scoorde je punten. Maar als je betrapt werd, moest je in je pyjama vijf minuten bij de moedertent staan.

'Je weet wat er gebeurt als je gepakt wordt. Overlopen mag best, een kwartiertje, maar ik wil ook echt dat het daarna rustig is. Morgen is er weer een dag. En dan gaan we zwemmen in het meertje hierachter.'

Groep acht juichte.

'En na het zwemmen weer inkopen, koken, eten, afwassen en dan de bonte avond. Dus zorg dat je een moment vindt om je act te oefenen. Na de bonte avond weer wat lekkers en daarna naar bed. En woensdag na het ontbijt ruimen we de tenten uit. We zijn de laatste groep die op schoolkamp gaat, dus moeten wij de tenten afbreken en opruimen.'

Er klonk boegeroep.

'Gelukkig zijn er ook ouders die kunnen helpen en die meteen alle bagage mee naar school zullen nemen. Als de tenten weg zijn, fietsen wij nog met elkaar naar het natuurmuseum, iets verderop. Daarna lunch onderweg en rond twee uur zijn we op school. En dan zit het kamp er alweer op. Maar nu beginnen we pas. Dus: ga lekker doen waar je zin in hebt, maar zorg dat we altijd weten waar je bent. En help je kampouder met zijn of haar tent opzetten als daarom gevraagd wordt.'

Walgelijke wraak

De kinderen stonden op en renden alle kanten uit. Er werden tassen uit de moedertent gehaald en naar de toegewezen tentjes gedragen. Er klonk gelach, gepraat en er waren veel plagerijen.

Michael bleef even bij zijn vader staan.

'Alles goed, Mike?' vroeg hij en Paul legde een arm om Michaels schouders.

Michael knikte. 'Ja, denk het wel. Het zal wel goedkomen met dat kamp.'

'En met Kylie? Gaat het goedkomen met haar?' vroeg zijn vader.

Michael haalde zijn schouders op. Hij keek naar Kaat, die onhandig met een enorme roze koffer op wieltjes het terrein op probeerde te komen en moest grinniken. Het zag er belachelijk uit. 'Dat weet ik niet,' antwoordde hij.

Kaat keek op. 'Hé! In plaats van daar te staan lachen, kun je misschien even helpen!' riep ze naar hem. 'Of kunnen Australische jongens dat niet?'

Michael grijnsde. 'Australische meisjes weten dat ze geen luxe rolkoffers mee moeten nemen op een ruig kampeerterrein.' Maar hij liep toch naar haar toe en pakte de koffer over.

Fleur, Frederique en Kaat hadden hun bedden opgepompt en de jongens hadden Roos' vader geholpen met het opzetten van zijn tent. Fleur lag op haar buik en las een stripboek. Frederique zat op haar luchtbed en staarde door de opengeslagen tentflappen dromerig naar buiten. Kaat was nog druk bezig alles in haar koffer te herschikken, zodat ze er makkelijk bij kon.

'Die Michael is helemaal zo onaardig niet,' zei Fleur. Ze keek op van haar stripboek. 'Hij hielp jou gewoon met je koffer. Ik heb trouwens gehoord dat hij langer blijft, wist je dat al?'

'O?!' Kaat keek op en legde haar pyjama op haar kussen. 'Wist ik niet. Hoe kom je daaraan?'

'Dat zei Sven. Laatst zijn Michael en zijn vader blijkbaar op bezoek geweest bij Sven en zijn moeder. Vandaar.'

'Nou, die kunnen het best goed vinden, zo te zien.'

'Wie? Sven en Michael?'

'Nee, de moeder van Sven en de vader van Michael.' Frederique wees naar buiten.

Annet en Paul waren samen lachend bezig Annets tent op te zetten.

Fleur ging rechtop zitten. 'Sven is daar volgens mij helemaal niet zo blij mee.'

'Waarom niet?'

'Omdat het thuis nu lekker rustig is, geloof ik. Bovendien mag hij Tom wel. De vriend van zijn moeder,' verduidelijkte ze.

'Nou, Michael zal er ook wel niet zo blij mee zijn, denk ik. Wat zal zijn moeder daar wel niet van denken?!' Kaat keek misprijzend naar Annet en Michaels vader.

'Zijn moeder? Heb je dat niet gehoord dan? Hij heeft geen moeder meer.'

'Wat?!' Kaat draaide zich om naar Fleur. 'Hoe weet je dát nou weer?'

'Ook van Sven. Zijn moeder is vorig jaar overleden. Ze kwam uit Nederland en daarom zijn Michael en zijn vader hierheen gekomen, om een poos bij haar familie te zijn of zoiets.'

'Wat erg. En raar...' zei Kaat en ze trok een gezicht. 'Hij heeft daar nooit iets van laten merken en ik had toch echt de indruk dat zijn moeder mee was gekomen...'

'Misschien vindt hij het moeilijk om erover te praten,' zei Fleur.

Ze trok haar trui uit. 'Poeh. Warm hier trouwens, zeg, in zo'n tent. Zeker als de zon er zo op schijnt. Ik ga me omkleden.' Ze ritste haar spijkerbroek open. 'Weet je nog, het vorige kamp? Toen regenden we weg. De tent lekte en al mijn bagage was nat. Dit is veel fijner, maar wel warm, pfff.'

Frederique knikte. 'Goed idee. Ik ga ook een korte broek aandoen.'

Kaat pakte haar mobiel uit de koffer en legde die op haar bed.

'Heb jij je mobiel niet ingeleverd?' Frederique had haar broek uit en gooide hem op haar tas.

'Nee. Ik ga er toch niet mee bellen? En hij is toch van mij?' zei Kaat vastbesloten en ze trok haar neus op. 'Nee joh. Ik ga er wel lekker foto's mee maken en filmpjes. Want je mocht wel een camera meenemen en dit is toevallig ook mijn camera.'

Frederique lachte. 'Maar geen foto's van mij, hoor. Sta ik straks in mijn onderbroek op de foto en voor je het weet staan die op de schoolsite. Ha ha!' Frederique lachte hard.

Fleur beet op haar lip en keek Kaat aan. Die staarde terug.

Frederique merkte de stilte op en keek van de een naar de ander. 'Hé, dat was grappig bedoeld, hoor! Ik snap ook wel dat jij die foto's niet op de schoolsite zet.'

'Nee, dat zou ik nooit doen,' beaamde Kaat.

'Dat zou toch echt stom zijn!' ging Frederique verder. 'Weet je dat het bij mijn zus op school wel eens gebeurd is? Een klasgenoot van haar had een vriendje en dat vriendje had foto's van haar gemaakt, terwijl ze... nou ja, ze had geloof ik niet echt veel meer aan. Ze waren verliefd en dat meisje poseerde dus helemaal naakt voor hem. En een tijd later maakte dat meisje het uit omdat ze niet meer verliefd op hem was en als wraak heeft hij toen die naaktfoto's op internet gezet. Walgelijk hè?!'

Fleur knikte en keek snel naar Kaat.

Die deed net of ze iets zocht in haar tas. 'Ja, belachelijk,' zei Kaat.

'Het heeft geloof ik wel een half jaar op internet gestaan en iedereen van de school heeft die foto's gezien.'

'Wat erg voor die vriendin van je zus...' zei Fleur ontzet.

'Ja, ze is daarom van school veranderd. Nu zit ze in een andere stad op school, zodat ze er niet meer iedere keer aan herinnerd wordt.' Frederique trok een korte broek aan. 'Maar ja,' lachte ze en ze tikte tegen haar voorhoofd, 'wie doet er nou ook zoiets idioots als naakt poseren? Zelfs voor een vriendje. Ik bedoel, kom op zeg! Dan ben je echt wel erg naïef. Hé, wie gaat er mee kijken of de rest al klaar is met de tent inruimen?'

'Ja, kom op. Eens zien of Roos en Carmen hun designtent al hebben ingericht. Ha ha!' Fleur tikte Kaat aan. 'Ga je mee?'

Kaat beet op haar lip. Ze voelde dat ze rode wangen had gekregen en draaide haar gezicht weg. Dat meisje was dus zelfs naar een andere school gegaan omdat er naaktfoto's van haar op internet waren verschenen... Ze dacht aan Chloe. Maar die had geen foto's van haar gemaakt. Dus dan kon er niets gebeuren. Toch?

'Ja, ik kom eraan...' mompelde ze.

Michael zat voor zijn tent en keek naar zijn vader. Die had samen met Annet hun twee tenten opgezet en ze hadden daarbij een hoop gelachen. Alle ouders hadden plaatsgenomen aan de grote houten tafel om koffie te drinken en te praten. Zijn vader en Annet zaten naast elkaar en hij zag dat zijn vader iets tegen haar zei en dat Annet haar hand even op zijn arm legde en toen lachte.

Hij voelde aan de ketting onder zijn shirt, de ketting met een beetje van mama erin, en hij keek boos naar zijn vader en Annet. Het leek wel of zijn vader bezig was verliefd te worden... Hij moest iets verzinnen om ervoor te zorgen dat er niets zou gebeuren tussen die twee. Maar wat?

Een stukje van mam

Ze fietsten met elkaar naar de supermarkt in een nabijgelegen dorpje. De vader van Roos fietste achter hen, zodat hij kon waarschuwen als er auto's aan kwamen. Kaat moest toegeven dat hij niet zo'n onaardige man was. Ze kon het niet goed vinden met Roos, die ze maar verwaand en arrogant vond, maar Roos' vader was grappig en een stuk minder arrogant en gelukkig ook niet streng.

Ze hadden met z'n zessen het menu samengesteld. Tomatensoep met stokbrood, shoarmavlees met gebakken aardappeltjes en appelmoes daarna en als toetje vla met slagroom.

Kaat fietste naast Michael. Ze hadden een heerlijke middag gehad. De zon had uitbundig geschenen en iedereen had meegedaan aan een voetbalcompetitie die Maarten, Sven en Tim spontaan hadden opgezet. Zelfs Jassina had meegevoetbald.

'Dus je eet wel bij ons?' had Fleur aan Jassina gevraagd.

'Ja. Mijn vader komt mij vanavond om tien uur ophalen.'

'Maar hoe vind je dat dan? Zou je niet veel liever zijn gebleven?' Fleur had Jassina vragend aangekeken.

'Tja,' Jassina had haar schouders opgehaald, 'beter dan helemaal niet mee mogen toch? Het is goed opgelost zo. Mijn ouders voelen zich hier prettig bij en ze hebben ook hun best gedaan om het voor mij leuk te houden. En morgenochtend om half negen ben ik er gewoon weer. Dus ik mis niet zo heel veel, hoor. En ik zal in ieder geval lekkerder slapen dan jullie!'

Kaat keek even opzij naar Michael. 'Ik hoorde dat jullie langer in Nederland blijven?'

Michael keek haar aan. 'O. Dat. Ja, mijn vader kan hier langer werken. Maar daarna gaan we terug.'

'En... Nou ja, ik hoorde ook dat... je hebt geen moeder meer, hè?'

Michael werd langzaam rood.

'Sorry. Ik... het was alleen dat... Fleur zei...'

'Nee, mijn moeder is inderdaad overleden. Ze was ziek.' Michael slikte even.

'Ik dacht... nou ja, ik had het idee dat jouw moeder gewoon thuis was, dat zei je een keer.' Kaat ging over haar stuur hangen.

'Ja. Ik weet ook niet precies waarom ik dat zei. Ergens is het trouwens nog waar ook, mijn moeder is thuis. Tenminste, wat er van haar over is. Ze is... in brand gestoken.'

'Wat?! In brand gestoken?' Met grote ogen keek Kaat hem aan.

'Ja, zo heet dat toch? Als je niet wordt begraven?'

'O. Gecremeerd.'

'Ja, zal wel. En de as is nu nog thuis, in Sydney. En een beetje hier...' Michael viste zijn hangertje onder zijn shirt vandaan. 'Hier zit een beetje van mijn moeder in, zo draag ik haar altijd bij me.'

'Wat mooi!' Kaat keek naar de hanger. 'Kan me voorstellen dat je die nooit kwijt wilt.'

Sven kwam naast hen fietsen. 'Wat wil je nooit kwijt?'

'Zijn ketting,' zei Kaat, 'want daarin zit as van zijn moeder.'

'Bizar,' zei Sven, 'maar wel een mooie ketting trouwens. Hij zal wel veel waard zijn.'

'Die wil ik inderdaad nooit kwijt.' Michael stopte het kettinkje weer onder zijn shirt.

'Sven! Niet met z'n drieën fietsen!' riep de vader van Roos.

Sven trok een gezicht voordat hij weer achter hen ging fietsen.

'Stel je voor dat iemand die steelt of zo...' ging Kaat verder. 'Afschuwelijk.'

Michael draaide zijn hoofd en keek haar even aan.

Ja, dat zou afgrijselijk zijn, als iemand zijn ketting zou stelen...

'Je laat het vlees aanbranden! Kijk nou uit!' lachte Fleur en ze gebaarde dat Sven het vuur wat lager moest zetten.

Sven en Fleur hadden de kookbeurt. David en Frederique moesten alles voorbereiden en Kaat en Michael zouden afwassen.

De groepen zaten verdeeld over het terrein, ieder achter hun eigen kookkist en op een picknickkleed.

De vader van Roos keek mee met Sven. 'Ja, dat mag iets minder... gaar, zeg maar.' Hij grijnsde. 'Zeg, hebben we nog een stukje stokbrood? Ik heb honger, jongens!'

Frederique gaf hem een stukje brood.

Michael zat naast David en keek rond. Eigenlijk zag het er allemaal reuzegezellig uit. Iedereen was druk aan het koken. Het groepje van Mei had vanavond spaghetti op het menu staan, zag hij, net als de groep van Tim. Bij Jassina lagen kipfiletjes in de pan en bij Maarten hotdogs. Dit zouden ze in Sydney ook moeten doen. Gewoon lekker kamperen met de hele klas. Gek... hij was zich zonder dat hij zich ervan bewust was, toch een beetje thuis gaan voelen bij zijn klasgenoten hier. En hij zou ze misschien zelfs missen als hij weer in Australië was. Hij had inmiddels ook wel wat vrienden gemaakt natuurlijk. Sven en David. Kaat. Hij keek even naar haar.

Ze had haar haren in een knot, er hing een lok los over haar gezicht. Ze lachte om iets wat David zei.

Hij voelde opeens een kriebel terwijl hij naar haar keek en draaide zijn hoofd snel weg. Hij zag nog net hoe zijn vader een glaasje sap voor Annet inschonk. De groep van Annet en die van zijn vader zaten naast elkaar. Zijn vader lachte om iets wat Emma zei en ook Annet moest lachen.

Michael voelde een steen in zijn maag. Hij wilde dat zijn vader niet zo met die Annet bezig was. Stel je voor dat hij verliefd op haar werd?! En dan? Misschien zou hij helemaal niet meer naar huis willen. Dat leek hem afschuwelijk.

Nee, hij kon maar beter zorgen dat zijn vader en Annet elkaar helemaal niet zagen zitten. Hij staarde naar de lucht en dacht diep na.

Na het avondeten, het afwassen en nog wat vrij spel klonk het fluitsignaal van meester Bas. Het schemerde al een beetje en het werd frisser. Kaat had een trui aangetrokken en liep samen met Roos, Sanne en Fleur naar de moedertent.

'Zo. Heeft iedereen lekker gegeten?' Meester Bas keek rond. 'Maarten, die hotdog-met-zand-en-grassprieten... in één woord: verrukkelijk! Die houden we erin voor het volgende kamp.'

Iedereen lachte. Maarten had de pan met hotdogs laten vallen, waardoor ze onder het zand en gras hadden gezeten.

'Het is tijd voor ons avondspel. Het wordt donker, dus dit is een mooi moment ervoor. Lekker eng en spannend in het bos, jongens!'

Meester Bas legde het spel uit. Ze werden in vier groepen verdeeld en iedere groep kreeg een kleur. Alle kinderen kregen een hesje aan in die kleur, zodat duidelijk was dat ze bij elkaar hoorden. Daarna zouden ze op het terrein in de vier verschillende windrichtingen gaan staan. Iedere groep kreeg een set spullen, die ondertussen door de vader van Roos en de moeder van David klaargezet werden: een pion, een krant, twee hoepels, een kampeerbank, een bal en drie natte sponzen. De bedoeling was dat de groepen allemaal naar de overkant probeerden te komen – dus oost naar west en zuid naar noord en andersom – terwijl ze alle spullen meenamen. Maar ze mochten alleen in een hoepel of op een stuk krant staan, en de andere dingen mochten de grond niet raken. Ondertussen kon je de andere groep bekogelen met natte sponzen. Iemand die geraakt was, moest terug naar het beginpunt en opnieuw beginnen. De sponsgooiers moesten uit het zicht blijven van de andere groepen.

Groep acht luisterde opgewonden en daarna begaf iedereen zich met de materialen naar hun eigen plek op het terrein. De groep van Kaat en Fleur – de gele groep – stond tussen de bomen, waar het nog donkerder leek. Ze mochten per groep één zaklamp gebruiken om bij te lichten.

'Oké, we moeten een strategie bepalen. We sturen steeds één

iemand vooruit,' zei David, 'en die zegt of de kust veilig is. Die persoon neemt één hoepel mee en een stuk krant. Dan stap je steeds van de krant in de hoepel en leg je weer de krant voor je. Daarna nemen we de bank mee.'

'Maar we moeten al die andere dingen ook meenemen.' Sven keek naar de rest van de spullen. 'Dat gaat nooit lukken zo.'

'Jawel,' zei Fleur, 'we kunnen de bank ondersteboven houden. Dan leggen we de bal en de pion gewoon tussen de twee staanders.'

'Slim. Ze is niet alleen mooi maar ook nog eens slim...' Sven knikte goedkeurend en Fleur werd rood.

'We moeten niet proberen meteen het open veld over te steken,' zei Michael, 'dan lopen we te veel gevaar. We blijven langs de bosrand. Zo kunnen we achter de bomen schuilen. We dragen met z'n drieën de bank en twee mensen blijven over om sponzen te gooien.'

'Goed plan!' fluisterde Kaat. 'Ik wil wel de spion zijn.'

'Ik draag de bank,' fluisterde Michael terug.

David en Frederique fluisterden dat ze de bank zouden dragen. Fleur en Sven zouden achteraan blijven en sponzen gooien. Ze hoorden hoe de anderen net zo opgewonden praatten over hun strategieën. Toen gaf meester Bas het signaal dat het spel kon beginnen.

Na drie kwartier met veel gegil, gelach en gejoel had de groep van Pieter en Emma gewonnen. De moeder van David, die hun kampouder was, deed een vreugdedansje en iedereen lachte. Op de tafel stonden bakken chips en glazen limonade voor allemaal.

Kaat keek naar Fleur. 'Jammer dat wij niet gewonnen hebben,' zei ze. 'Laatste geworden. Balen zeg! Maar wel enorm gelachen.'

Op dat moment hoorden ze een auto.

'Mijn vader!' zei Jassina en ze wuifde naar de auto.

Kaat keek toe hoe hij het terrein op kwam rijden. Ze benijdde Jassina eigenlijk wel. Lekker in haar eigen bed slapen... Maar aan de andere kant miste Jassina wel het overlopen.

Zoenen

Nadat iedereen Jassina en haar vader uitgezwaaid had – 'Tot morgenochtend!' – was het tijd om de pyjama's aan te trekken, tanden te poetsen en naar bed te gaan. Eindelijk, om elf uur, lagen ze in hun slaapzakken.

'Gaan we nu overlopen?' Kaat pakte haar zaklamp en scheen naar haar vriendinnen.

'Ik heb het koud...' zei Frederique. 'Ik lig eigenlijk net lekker warm. Ik ben ook moe trouwens, dus ik blijf fijn in mijn slaapzak.'

'Flauw! Kom op, Fleur, jij toch wel?' Kaat keek vol ongeloof naar haar vriendinnen. 'We zijn op kamp. Wie wil er nou slapen?!' Ze zei er niet bij dat zij in ieder geval niet wilde slapen. Want dan was het stil, donker en kwamen alle gedachten aan thuis onherroepelijk terug. En kreeg ze heimwee en wilde ze het liefst naar huis.

'Nou...' Fleur rekte zich even uit en geeuwde. 'Ik ben ook moe. Ik zal best lekker slapen zo. Maar jij kunt toch gewoon lekker overlopen als je wilt. Of lezen met je zaklamp?'

'Saai hoor!' Kaat kon er niets aan doen, maar ze klonk boos.

Van buiten klonk gegil en gelach.

'Hier, iedereen is aan het overlopen.' Ze ritste de slaapzak open en ging zitten. Ze kroop naar de voortent en trok haar regenlaarzen aan. 'Fleur?' vroeg ze voordat ze de rits heel zacht opentrok.

'Nah. Ik blijf liever liggen.'

'Best. Moet je zelf maar weten! Thuis krijg je er spijt van, en dan is het te laat. Dan zit kamp er alweer op.'

Boos stapte Kaat naar buiten. Bah! Stelletje saaie vriendinnen zeg. Ze maakte zich klein zodat ze niet gezien zou worden door meester Bas en de kampouders, die rond een kampvuurtje bij de moedertent zaten. Ze lachten en er stond een open fles wijn. Zo nu en dan keken ze even rond of schenen snel met een zaklamp.

'Ja!' hoorde Kaat Michaels vader zeggen. 'Yvette en Sanne. Gesnapt. Ha! Dat betekent hier komen en vijf minuten staan.'

Sanne en Yvette liepen gierend van het lachen naar de moedertent en gingen bij het kampvuur zitten.

Kaat sloop voorzichtig naar de tent van de jongens. 'Hé. Pssst!'

'Wie is daar?' werd er teruggefluisterd.

'Ikke. Kaat.'

'Oké, jij mag wel binnen komen.' David ritste razendsnel de tent open en Kaat sloop naar binnen.

Sven lag in bed te lezen. Ook al zo'n saaie. Alleen het bed van Michael was leeg.

'Doen jullie niet mee?' fluisterde ze.

'Jawel, we zijn net in de tent van Pieter en Tim geweest. Maar we kregen het koud.' David graaide wat in zijn tas en diepte een snoepzak op. Hij hield hem voor Kaat open.

'Lekker.' Ze nam een dropje. 'En Michael?'

'Die is nog wel ergens buiten. Waar zijn Fleur en zo?'

'Slapen al. Sufkoppen. Nou, ik ga kijken wie ik nog meer tegenkom. Doei!' Kaat sloop weer geluidloos de tent uit. Het was wel heel donker, en zo zonder haar vriendinnen ook een beetje eng.

Iemand deed het geluid van een uil na en ze zag dat de moeder van Sven en meester Bas met hun zaklampen het bos in schenen.

'Ha. Joris, ik zie je wel. Gesnapt! Hier komen!' riep meester Bas.

Kaat sloop door het vochtige gras naar de bosrand toe, zodat ze niet betrapt zou worden. Opeens botste ze tegen iemand op. Ze schrok enorm en wreef over haar arm. 'Au!'

'Sorry.' Het was Michael. Hij legde zijn vinger op zijn mond. 'Ssst!'

'Wie zijn daar?' Michaels vader deed zijn zaklamp weer aan en scheen langs de struiken.

Michael duwde Kaat achter een bosje en trok haar naar beneden. Ze beet op haar lip van spanning en voelde zich giechelig.

De straal van het licht gleed langzaam voorbij het bosje.

Michael proestte zacht. 'Ze zien ons niet,' fluisterde hij. 'Maar we zullen nog even moeten blijven zitten.'

Kaats hart ging tekeer in haar lijf. Ze hoorde geritsel en gejoel verderop. Carmen en Roos waren gesnapt.

'Dit is best wel cool,' lachte Michael zacht. 'Zoiets zou in Australië stukken minder goed kunnen. Te veel slangen en gevaarlijke spinnen.'

'Bah!' fluisterde Kaat terug. Ze had een knoop in haar maag.

Het werd steeds stiller om hen heen, naarmate meer kinderen gesnapt werden of uit zichzelf gingen slapen.

'Er zat een keer een slang in ons huis, in de keuken. Was heel erg eng, mijn moeder heeft er een emmer overheen gezet en toen heeft mijn vader er een plaat ondergeschoven en hem zo weer buiten kunnen zetten. Je moet in Australië altijd goed uitkijken voor dat soort beesten. Ook voor schorpioenen in je schoenen.'

'Jakkes!' griezelde Kaat lacherig. 'Kan me niet voorstellen dat je dat mist.'

'Nee, dat soort dingen niet. Maar andere wel. Het lekkere weer en de zee en de ruimte om je heen. Maar toegegeven, dit is ook lang niet slecht, hoor.'

Ze zaten dicht bij elkaar.

'Ik heb helemaal geen slaap,' zei Michael zacht. 'En David en Sven slapen denk ik al.'

'Fleur en Frederique ook,' fluisterde Kaat. 'En ik wil ook niet slapen. Nou ja, ik ben bang dat ik niet kan slapen.'

'Waarom niet? Is je luchtbed kapot of zo?'

'Nee,' zuchtte ze, 'maar... ach, het is eigenlijk vreselijk stom. Laat maar.'

'Wat? Nou moet je het vertellen ook.' Hij gaf haar een por.

'Ach...' ze keek even opzij en zag zijn profiel in het donker. 'Ik heb soms last van heimwee. Op zo'n kamp en zo. Overdag gaat het prima, maar dan later...'

'...dan denk je aan thuis en dat doet pijn,' vulde Michael aan.

'Ja. Stom, hè? Ik bedoel, overmorgen ben ik alweer thuis... Maar 's avonds en 's nachts lijkt dat opeens nog zo ver weg...' Kaats stem begon te trillen.

'Weet je? Ik kreeg van mijn opa een hele goeie tip. Zie je de maan?'

Kaat keek omhoog. Haar ogen voelden waterig. Ze staarde naar de maan.

Michael keek naar haar gezicht terwijl ze omhoogkeek. Haar ogen glinsterden. Hij vergat even adem te halen, leek het wel, en hapte daarna naar lucht.

Hij schraapte zijn keel. 'Mijn opa zegt dat als je heimwee naar iets of iemand hebt, je naar de maan moet kijken en je bedenken dat degene die je mist die maan ook ziet. Ook al is die persoon aan de andere kant van de wereld.'

Ze glimlachte en keek hem aan. 'Dat is mooi gezegd,' zei ze en ze rilde even.

Het werd fris. Alle anderen waren alweer hun tent in gegaan. Her en der werd nog wat gefluisterd, soms scheen er een zaklamp dwars door het tentdoek heen. Iemand lachte hardop en iemand anders zei 'Ssst.' Bij het kampvuur zaten de kampouders nog steeds gezellig op gedempte toon te praten. Niemand had in de gaten dat zij en Michael nog hier zaten.

Ze keek naar Michael.

Hij staarde terug en zonder iets te zeggen boog hij opeens voorover. Hij zoende haar zacht op haar wang en daarna op haar mond. Toen trok hij zich terug en stond op. 'Welterusten,' mompelde hij en hij sloop weg voordat Kaat iets kon zeggen.

Het duurde een paar minuten voordat Kaat zich bewoog. Gekust.

Voor de allereerste keer in haar leven gekust... Ze probeerde rustig adem te blijven halen. Ze stond op en veegde wat takjes weg met haar hand. Ze merkte dat ze trilde. Ze zag dat er een lampje brandde in de tent van Michael, Sven en David.

'Hé! Wie is daar?' Meester Bas scheen met zijn zaklamp over het terrein.

Kaat hield haar adem in en bukte weer. Het was natuurlijk inmiddels veel te laat. En als ze nu nog betrapt werd... Wat zou ze dan moeten zeggen? Ze was de enige die nog op was. Opeens klonk er een stem. 'Ik was het, sorry. Ik heb dorst, ik wilde wat water...'

Ze hoorde de stem van Michael en haalde opgelucht adem. Terwijl Michael naar meester Bas en de moedertent liep om water te drinken, sloop Kaat naar haar eigen tent.

Zachtjes kleedde ze zich uit en ging in de slaapzak liggen. Frederique sliep al, die snurkte zacht.

Fleur draaide zich om. 'Waar was jij nou? Kom je nu pas terug?' vroeg ze slaperig.

'Ik... er is... weet je wie... wat...' Kaat leunde op een elleboog en tuurde in het donker naar Fleur. 'Ik denk dat ik verliefd word,' zei ze zacht.

'O jee.' Fleur kwam nu ook overeind en staarde Kaat aan. 'Op wie?'

'Op Michael. Hij... we...' Ze zweeg even en ging toen liggen. Ze staarde in het donker. 'Hebben jij en Sven wel eens gezoend?'

'Huh? Eh... nou, niet echt tongzoenen of zo, hoor. Dat vind ik zo vies, iemands tong in je mond.'

'Ja, yuk!' lachte Kaat zachtjes. 'Maar verder?'

'Nou... wel eens. Een paar keer. Dan zoenen we even op elkaars mond. Zonder tong.'

'En hoe vind je dat?' Kaat staarde dromerig naar haar vriendin.

'Weet niet. Wel fijn. Soms. Sven zoent wel fijn. Spannend. Ik ben wel altijd bang dat ik het verkeerd zal doen. Of dat hij opeens toch zijn tong naar binnen duwt... ieuw! Of dat ik achter zijn beugel blijf haken. Ik weet ook nooit of ik mijn ogen dicht moet doen. Of juist open moet houden. En wat als ik per ongeluk zijn neus zoen? Of dat ik een slechte adem heb...'

'Jee, dat klinkt niet echt romantisch. Maar hoe weet je nou of je verkeerd zoent of niet?'

'Dat weet je denk ik nooit. Het moet gewoon fijn voelen, denk ik. Anders is het niet oké en moet je het niet doen. En je moet alleen zoenen als je dat allebei wilt. En wanneer je tanden gepoetst zijn, ha ha. Waarom vraag je dat?'

'Gewoon...' zei Kaat en ze draaide zich op haar zij. Gek. Ze had helemaal geen heimwee nu. Eén zoen van Michael en de heimwee was verdwenen... Ze sloot haar ogen. 'Welterusten,' mompelde ze.

'Slaap lekker,' fluisterde Fleur zacht terug.

Liegen

De volgende ochtend deed Michael erg zijn best om niet te veel naar Kaat te kijken. Hij had de hele nacht liggen woelen. Hij wilde helemaal niet verliefd worden in Nederland. Dat zou het alleen maar moeilijk maken om terug naar huis te gaan; net zoals het moeilijk was geweest om Kylie achter te moeten laten en naar Nederland te gaan.

Hij ging aan de lange tafel zitten, naast Sanne en zo ver mogelijk bij Kaat uit de buurt. Hij deed net of hij niet zag dat ze steeds met een rood hoofd naar hem keek en lachte expres hard om iets wat Sanne zei.

Uit zijn ooghoek zag hij ook nog net hoe zijn vader zijn hand even op de rug van Annet legde terwijl zij melk inschonk voor alle kinderen en hij kreeg een enorme knoop in zijn maag. Instinctief greep hij naar de hanger om zijn nek en hij beet diep in gedachten verzonken op zijn lip.

'...en dus gaan jullie na het ontbijt opruimen. Over een uurtje gaan we naar het meertje. Dat is hier verderop, een klein meertje met picknickweide waar we kunnen zwemmen.'

Jassina stak haar vinger op. 'Maar ik heb geen badpak bij me.'

'Jij hebt helemaal niets bij je!' lachte Yvette en Jassina keek haar boos aan.

'Nou, in dat geval mag je vast wel een korte broek van iemand lenen en dan hoef je niet te zwemmen, maar kun je gewoon lekker het water in lopen.' Meester Bas nam een hap van zijn brood. 'Of moeten we je vader bellen dat hij nog even je badpak komt brengen?'

'Nee. Nee, laat maar' zei Jassina snel. 'Ik blijf wel lekker aan de kant.'

Michael zag zijn vader naar hem toe lopen. Hij legde een hand op Michaels schouder. 'Heb je een beetje geslapen? Je ziet er moe uit,' zei hij en hij ging tussen Michael en Sanne in zitten.

Michael haalde zijn schouders op. ‘Niet echt, nee.’

‘Hm. Ik heb zelf ook niet echt lang geslapen...’ zei zijn vader en hij pakte een stuk brood van Michaels bord.

‘Je had het te druk denk ik...’ zei Michael venijnig. Hij staarde boos naar Annet, die het niet in de gaten had.

Zijn vader volgde zijn blik. ‘Wat bedoel je?’

‘Niets. Gewoon. Dat je het druk had met... leidinggeven en zo.’

‘Hm. Ik heb het idee dat je het over iets anders hebt, maar daar moeten we het samen thuis nog maar eens over hebben. Nou, ik ga even naar mijn kampgroepje kijken, of ze een beetje eten.’ Hij sloeg een arm om Michaels schouder. ‘Tot straks.’

Michael keek zijn vader na en zijn blik bleef even steken bij Kaat. Hij zag hoe ze snel wegkeek.

Het meertje lag prachtig verscholen achter struiken en een stuk bos. Er was een picknickweide met banken en schommels. Verder was er een klein gebouw waar een toilet en wat kleedruimtes in zaten. Maar de meeste kinderen hadden zich al omgekleed op het kamp.

‘Niet te ver het meer in!’ riep meester Bas. ‘Ik zal zo nu en dan even tellen of jullie er allemaal nog zijn, dus ga ook niet te ver weg. Als ik fluit, verwacht ik jullie onmiddellijk hier.’

Nog voor hij uitgesproken was, lagen de eerste kinderen al in het water.

‘Koud!!!’ gilde Fleur en ze rende net zo hard weer terug naar het grasveld.

De zon scheen, het was heerlijk nazomerweer, maar het water voelde fris aan.

‘Ik probeer het straks wel weer!’ zei ze lachend en ze ging op haar handdoek zitten. ‘Even lekker bijkleuren nu. Ga jij het water in?’ Ze keek Kaat aan.

‘Weet niet, als het zo koud is...’ Kaat bleef op haar handdoek zitten.

Ze keken samen naar Frederique, die in het water was gedoken en nu op en neer zwom.

'Wat was dat nou vannacht? Droomde ik dat je het over Michael had of was dat echt?' vroeg Fleur en ze richtte zich op.

'Nah, dat was echt. Alleen... ik snap er dus niets van. Hij negeert me al de hele ochtend. Terwijl gisteravond... Ik dacht dat hij mij ook leuk vond. En dan heb je natuurlijk nog zijn Australische vriendin. Kylie.'

'Maar waarom dacht je dan dat hij jou ook leuk vond?'

Kaat keek even naar Michael. Hij was met David, Sven en Tim een balletje aan het trappen. 'Omdat hij me... zoende.'

'Echt?! Wauw!'

'Ssssst!' Kaat gebaarde dat Fleur stil moest zijn. 'Dat hoeft verder niemand te weten, hoor.'

'Sven kan soms ook zo doen...' zei Fleur zacht. 'Alsof hij me niet kent. Misschien zijn jongens gewoon zo.'

'Nou, dat is dan knap stom.'

'Kaat, hoe zit het nou met die foto's? Heb je daar nog iets van gehoord?'

Kaat haalde diep adem. 'Jawel... Chloe zei dat de fotograaf heel veel interesse had om mij te ontmoeten,' loog ze. Ze wist niet precies waarom, maar ze wilde niet laten blijken hoe stom ze het eigenlijk van zichzelf vond dat ze naakt voor haar webcam had gestaan. Als Fleur zou geloven dat Kaat model kon worden, zou haar vriendin er misschien over ophouden. 'Ik kan misschien een opdracht krijgen voor een tijdschrift, ze wilden nog niet zeggen welk. Maar ze waren wel erg geïnteresseerd.' Hoe meer ze zei, hoe makkelijker het leek om te liegen. 'Misschien mag ik volgende maand zelfs mee naar Parijs. Voor een fotosessie.'

'O.' Fleur keek haar achterdochtig aan. 'Dat is wel snel. En je ouders?'

'Die vinden het natuurlijk geweldig. Een topmodel als dochter.'

'Hmmm.' Fleur keek Kaat aan. 'Nou ja. Ik zou het nooit mogen. Ze deden met Teen Star al zo moeilijk. Als je modelfoto's hebt, moet je ze wel laten zien, oké?'

'Tuurlijk,' zei Kaat en ze draaide zich om. Ze ging op haar buik liggen, legde haar hoofd op haar armen.

'Ik ga er weer in, kom je ook?' Fleur stond op. 'Bijna iedereen is er nu in.'

'Ja, zo. Even lekker in het zonnetje.' Ze deed net of ze half sliep, maar ondertussen keek ze naar Michael.

Sven, David en Tim sprongen het water in. Ze zag hoe eigenlijk iedereen aan de waterkant stond, behalve Jassina, die zat in het gras en was verdiept in een tijdschrift. Zelfs meester Bas en de overige kampouders stonden in het water.

Ze zag hoe Michael naar het water keek en toen snel naar een tas liep. Hij bukte en liet er iets in vallen. Daarna liep hij haastig weg, naar de waterkant.

Kaat sloot haar ogen even.

Jongens. Rare wezens.

'Pap...' Michael liep, toen ze terug waren op het kampterrein, naar zijn vader.

Die stond net een handdoek op te hangen bij zijn tent.

'Heb jij mijn ketting gezien? Ik ben hem kwijt.'

'Je ketting? Toch niet die waar de as van mama in zit?' Zijn vader keek hem met gefronste wenkbrauwen aan.

'Ja, die. Ik snap het niet. Ik had hem tijdens het zwemmen afgedaan en in mijn broekzak gestopt. Nu is hij weg. Ik dacht dat jij hem misschien zou hebben...'

'Nee, waarom zou ik? Maar dat is niet zo mooi, Mike. Ik bedoel, die ketting is niet zomaar iets, die is onvervangbaar... Weet je zeker dat je hem in je broek hebt gedaan?'

'Heel zeker. Ik heb hem in mijn broekzak gestopt en daarna het ritsje van de zak dichtgedaan. Hij kan er dus ook niet uit gevallen zijn.'

Zijn vader zette zijn handen in zijn zij. 'Jee, Mike... geen idee. We zullen Bas vragen of iemand uit de klas hem gezien heeft. Oké?'

'Ja, is goed.' Michael zuchtte diep.

'Is er iets?' vroeg een stem achter hen. 'Je kijkt zo bedrukt?' Annet kwam naast Michael staan.

'Hij is zijn ketting kwijt...' zei Michaels vader.

'En die ketting is heel belangrijk,' voegde Michael eraan toe. 'Er zit een deel van mijn moeder in.'

Annet keek hem vol medeleven aan. 'Dat is naar. Wanneer heb je hem voor het laatst gezien?'

'Voor het zwemmen. Die ketting is ontzettend belangrijk voor me. Pap heeft er ook een, hè pap? Zodat we mama altijd bij ons hebben en haar nooit zullen vergeten. Pap draagt mama altijd op en in zijn hart mee.'

'Ja...' Annet leek wat van haar stuk gebracht.

Zijn vader keek even naar de grond. Een spiertje in zijn wang bewoog.

Michael keek van de een naar de ander. 'Het is heel belangrijk dat ik mijn ketting weer vind. Want pap, mam en ik zijn echt een eenheid. Daar komt niemand tussen. Niemand.' Hij benadrukte het laatste woord en keek Annet even aan.

'Mike...' zei zijn vader met een frons, 'ik weet niet wat precies je bedoeling is, maar...'

'Niets, maar dat heb jij altijd gezegd. Dat je mama nooit zult vergeten en dat er nooit meer een ander kan zijn. Dat heb jij gezegd.'

Annet schraapte haar keel. 'Ik, eh... ik ga eens bij mijn kinderen kijken. Even beslissen wat we eten vanavond en kijken of het oefenen voor de bonte avond al opschiet.'

'Ja...' zei Michaels vader afwezig.

Annet draaide zich om en liep weg.

'Waarom... waarom zeg je dat soort dingen nou?' Pap hing de handdoek opnieuw recht.

'Wat? Over mama? Nou, dat is toch zo? Dat heb je toch allemaal zelf gezegd?' Michael keek hem quasi-onschuldig aan.

'Ja, dat is wel zo... Maar nu doe je net alsof ik heb beloofd dat er nooit meer een ander zal zijn. En zo'n belofte heb ik nooit gemaakt, Michael.'

'Jawel, je zei dat mama onvervangbaar is.' Michael sloeg koppig zijn armen over elkaar.

'Ja... ja, dat is ook zo, je moeder is ook niet te vervangen, maar dat wil niet zeggen dat er geen ruimte is voor een... nieuw iemand.'

'Ze heeft een vriend, hoor,' zei Michael nu bits. Hij wierp zijn vader een boze blik toe.

'Wie?' Pap keek hem niet-begrijpend aan.

'Annet. Ze heeft een vriend. Dat zegt Sven.'

'Jee, Michael...' Zijn vader haalde een hand door zijn haren. 'Dat weet ik. Het is... het ligt gecompliceerd. Ik bedoel... Verdorie, ik heb hier even geen zin in. Dit gesprek voeren we wel een andere keer, niet hier op kamp. Ik ga nu eerst aan Bas vragen of hij straks bij iedereen naar de ketting wil informeren.'

Natuurlijk had niemand de ketting gezien.

'Dus laten we allemaal onze ogen openhouden. Als je hem vindt, geef hem dan meteen terug aan Michael.' Meester Bas keek de groep rond. 'En nu is het tijd om het eten te gaan maken, en vanavond bonte avond.'

Kampvuur

'...nog één applausje voor Pieter en Tim en hun breakdance-act!' riep Kim, die de bonte avond presenteerde.

Iedereen klapte en joelde.

'En dan nu de laatste act: GRLZ. Fleur, Kaat en Frederique hebben Teen Star dan wel niet gewonnen, maar wij mogen nog eenmaal van hun act genieten!'

De drie vriendinnen gingen staan en gebaarden naar de moeder van David dat ze de cd-speler mocht aanzetten. Ze zongen en dansten en de hele klas klapte mee. Na het liedje bogen ze diep.

'En dat was de bonte avond voor dit kamp!' zei Kim en ze kreeg zelf ook applaus.

'Jongens, dat was genieten.' Meester Bas ging staan. 'Jullie hebben erg je best gedaan. Als beloning gaan we nu een kampvuur maken en mogen jullie worstjes en marshmallows roosteren. En de moeder van Sven en de vader van Michael gaan warme chocolademelk maken.'

Iedereen juichte. Een groepje kinderen hielp meester Bas met het versjouwen van de vuurkorf, anderen verzamelden brandhout.

Michael droeg een paar flinke houtblokken. Hij keek even naar de moedertent, waar hij Annet en zijn vader zag staan bij een grote pan chocolademelk op het gasstel. Ze waren in een serieus gesprek gewikkeld, zag hij. Hij keek op en zag dat ook meester Bas naar zijn vader stond te kijken.

Toen hij Michael zag, knipoogde hij even, alsof hij wilde zeggen 'Leuk hè?'

Maar Michael vond het allesbehalve leuk en hij liep snel door.

Na een halfuurtje brandde het vuur. Iedereen mocht een tak met aan het uiteinde een marshmallow of een worstje pakken en Annet deelde de bekers chocolademelk uit. De hele groep zat rond het kampvuur. Er werd gelachen en gekletst.

Fleur stond samen met Sven bij het vuur, ieder met een marshmallow. Ze lachten naar elkaar. Kaat keek naar hen en voelde even een steek.

Ze zou willen dat zij ook zo met Michael zou staan, maar die had haar de hele dag genegeerd. Soms betrapte ze hem erop dat hij naar haar staarde, maar dan draaide hij zich razendsnel om. Hij had er vast spijt van dat hij haar een zoen had gegeven, dacht ze somber. Want hij had natuurlijk al een vriendin, ook al was die duizenden kilometers bij hem vandaan. Zuchtend legde ze haar kin op haar armen en ze tuurde naar het vuur, dat haar wangen warmde.

Pieter kwam naast haar zitten. 'Lekker warm, hè?'

'Ja,' zei Kaat, 'heerlijk.'

'Hé, ken je die mop al van die behaarde haan en die koe?'

Michael zat aan de andere kant van het vuur en keek door de vlammen naar Kaat en Pieter. O jee, nou had hij haar de hele dag genegeerd en nu zat ze opeens met Pieter te lachen. Dat was ook weer niet de bedoeling. Hij vond het allemaal zo verwarrend. Hij miste Kylie. Maar misschien, had hij bedacht, was hij niet meer verliefd op haar. Waren ze gewoon enorm goeie vrienden en had hij alleen gedacht dat hij verliefd op haar was omdat hij zo'n heimwee naar huis had gehad. En had hij daardoor gedacht dat hij ook heimwee naar haar had. Kaat had dat alles veranderd, want vanaf de eerste dag had hij haar al aardig gevonden. Om de een of andere reden had het ook belangrijk geleken dat juist Kaat zou denken dat zijn leven perfect was; compleet met een moeder die thuis zat te wachten en een grote groep vrienden in Australië die zich erop verheugden dat hij weer naar Sydney zou komen. Maar zijn leven was helemaal niet perfect. Mama was overleden, Kylie was niet langer verliefd op hem, zijn vader leek opeens verliefd te worden op Annet en nu bleven ze ook nog eens langer in Nederland. Om het allemaal nog erger te maken was Michael bezig verliefd te worden op Kaat. Dan zou zijn vertrek naar Australië net zo lastig worden als zijn komst naar Nederland, een paar maanden geleden. Nee, dat wilde hij niet. Hij kon er maar beter voor zorgen dat Kaat hem niet al te leuk ging vinden. Net zoals hij ervoor wilde zorgen dat zijn vader en Annet elkaar niet uit konden staan.

Hij dacht aan wat hij die ochtend had gedaan. Het voelde niet goed, maar het was de enige manier om ervoor te zorgen dat ze straks gewoon weer naar huis, naar Australië, zouden gaan...

Hij keek op uit zijn overpeinzingen en zag zijn vader weglopen naar de tenten. Het hele terrein was donker, behalve rondom het haardvuur. Het rook naar gebraden worstjes en chocolade. Naast hem lachten Sven, David, Emma en Fleur om een grap van Yvette. Meester Bas was in gesprek met Lelie, Carmen, Roos en de moeder van David. Michael stond op en liep onopgemerkt het donkere terrein op, zijn vader achterna.

Het was nog donker toen Kaat wakker werd. Ze trok de slaapzak verder over zich heen. In de verte hoorde ze vogels fluiten. Ze pakte haar mobiel uit haar tas en zette hem even aan om naar de tijd te kijken. Kwart over vijf in de ochtend.

Vandaag zouden ze naar huis gaan. Jammer. Kamp was eigenlijk veel te snel voorbij. En gek genoeg, ook al had ze soms last van heimwee, nu wilde ze liever niet terug naar huis. Ja, ze vond het heerlijk om haar ouders weer te zien, maar tegelijkertijd dacht ze aan Chloe en aan wat ze gedaan had voor de webcam, en bekroop haar een vervelend, knagend gevoel. Juist op kamp had ze dat gevoel kunnen vergeten.

Ze draaide zich om en dacht aan Michael. Ze begreep he-le-maal niets van jongens. De ene dag kuste hij haar, de andere dag was ze lucht voor hem. Alsof ze niet bestond. Fleur had gezegd dat jongens soms nu eenmaal zo doen, omdat ze onzeker zijn of bang dat hun vrienden hen zouden gaan pesten. Maar dan nog; Kaat vond het niet leuk. Gisteravond had ze even bij hem willen gaan zitten, kijken of er iets was. Ze had willen vragen of hij zijn ketting alweer terug had en dan had ze vanzelf wel gemerkt of hij met haar wilde praten. Maar hij was opeens verdwenen, tijdens het kampvuur. Ze had hem niet meer gezien die avond, ook niet bij het overlopen. Sven had gezegd dat Michael al in bed had gelegen tegen de tijd dat hij en David naar de tent gingen. Vreemd, vond Kaat. Wie ging er op kamp nou uit zichzelf zo vroeg naar bed? Er floot een vogel dicht bij de tent. Ze ging op haar rug liggen en luisterde naar het gezang.

Michael staarde naar het tentdoek boven hem. Hij hoorde een vogel fluiten. Nou, van slapen zou toch niet veel meer komen... Ongerust dacht hij terug aan de vorige avond. Hij was achter zijn vader aan gelopen met de bedoeling te gaan kletsen. Hij had zijn vader gedurende het kamp natuurlijk vaak gezien, maar niet echt gesproken. Hij had wel gemerkt dat de kinderen in zijn klas zijn vader allemaal erg aardig leken te vinden. Dat voelde fijn.

Zijn vader was echter langs de tenten gelopen, naar de rand van het bos. Michael had hem net willen roepen toen hij ontdekte dat er een donkere gestalte bij de bomen stond. Hij had zich verstopt tussen een paar tenten en met bonkend hart naar zijn vader gekeken. Hij had niet goed gezien wie de donkere figuur naast zijn vader was geweest, maar hij had haar stem wel herkend. En toen had zijn vader zich voorovergebogen en haar gekust en had Annet haar armen om hem heen geslagen. Michael had zich weggedraaid en was misselijk geworden. Misschien moest hij wel overgeven, had hij gedacht. Hij had weer opgekeken en gezien hoe zijn vader Annets handen had vastgehouden en hij had hun gefluister gehoord.

'...moet het hem wel zeggen...' had Annet gezegd.

'...ja, dat moet...' had zijn vader geantwoord.

'...spullen uit mijn huis halen...'

Michael had geslikt. Wat?! Hoezo moest ze spullen uit haar huis halen? Ging ze dan meteen bij hen wonen? Verward had hij zijn adem ingehouden.

'...hij zal... huis uit...' hoorde hij zijn vader fluisteren en opeens had Michael visioenen gekregen. Dat hij het huis uit gezet zou worden en dat zijn vader met Annet zou gaan samenwonen. Dat hij naar opa en oma zou worden gestuurd om de rest van zijn jeugd door te brengen in een huis vol stoffige herinneringen, waar iedere avond aardappels op tafel stonden.

'...hoop dat Sven, Eva en Michael... begrijpen...' vervolgde Annet zacht.

Michael had zich omgedraaid en was zacht naar het toiletgebouw geslopen, waar hij koud water in zijn gezicht had gegooid.

Meer dan ooit miste hij zijn moeder. Het water had zich gemengd met zijn tranen.

Nu lag hij wakker. Hij had maar een paar uurtjes – onrustig – geslapen. Hij dacht diep na over wat hem te doen stond.

Diefstal

Na het ontbijt ging iedereen zijn tass inpakken. Daarna moesten de tenten afgebroken worden, want na hen zou er niemand meer komen. Over acht maanden gingen ze weer op kamp: het afscheidskamp in de Ardennen. Dat zou vijf dagen duren.

Om half elf arriveerden de bagage-ouders, zoals meester Bas ze noemde. Dat waren ouders die met de auto kwamen om alle bagage en tenten mee terug te nemen naar school.

Kaat keek reikhalzend naar de ingang van het terrein, maar ze zag de auto van haar moeder niet. Ze zuchtte. Jammer, ze had – tegen beter weten in misschien – gehoopt dat haar moeder er ook bij zou zijn. Fleurs moeder was er wel, en Kaat keek toe terwijl Fleur en haar moeder elkaar knuffelend begroetten.

Meester Bas blies op zijn fluit. Iedereen kwam aanrennen.

'Jongens, de eerste bagage-ouders zijn er. Ik wil dat iedereen zijn bagage naar de moedertent brengt. Dan kunnen de ouders de buit beter verdelen, ha ha. Zorg ervoor dat alle lucht uit je luchtbed is, rol ook je slaapzak gewoon op zoals het hoort. Iedereen draagt zorg voor zijn eigen spullen. Oké, aan de slag!'

Michael liep op z'n gemak terug naar zijn tent. Nu was het moment, had hij bedacht. Hij moest overgaan tot actie voordat het te laat was. Hij bukte en kroop de tent in.

David en Sven zaten op hun knieën hun tassen in te pakken. Achter Sven lag de zwemtas die hij gisteren had meegenomen.

Michael pakte de tas op en hield hem voor Sven op. 'Hier, je zwemtas.' Sven wilde hem aannemen, toen Michael opeens riep: 'Dat lijkt mijn ketting wel!' en hij trok de tas terug.

'Hè? Wat?' zei Sven verward en hij keek toe hoe Michael de tas leegkiepte op de grond.

'Daar.' Michael pakte zijn ketting, die eruit gevallen was. 'Wat erg!

Jij had mijn ketting gejat.'

'Hè? Waar heb je het over?!'

'Mijn ketting. Met de as van mijn moeder. Ik was hem kwijt en jij had hem gewoon gestolen!'

'Niet! Hoe kom je daarbij?!' vroeg Sven kwaad.

David keek van de een naar de ander. Michael stond op en liep met de ketting in zijn hand de tent uit, en riep zijn vader. David en Sven kwamen ook naar buiten.

'Pap! Ik heb mijn ketting.' Michael hield de ketting omhoog om hem aan zijn vader te laten zien. 'En je raadt het nooit. Sven had hem gepikt!'

'Wat?!' Sven keek Michael woedend aan. 'Wat moet ik nou met die stomme ketting?!'

'Wat zeg je?! Het is helemaal geen stomme ketting! Maar jij was wel degene die zei dat je hem zo mooi vond en dat hij veel waard moest zijn. Dus je hebt hem gewoon gejat, want hij zat in mijn broekzak en kan er niet uit zijn gevallen.'

'Veel waard voor jou, ja. Voor mij is dat ding niets waard. Ik heb hem niet gepikt. Ik weet niet hoe hij in mijn tas is gekomen, maar ik heb het niet gedaan!'

Ondertussen was Annet er ook bij komen staan. Andere kinderen keken nieuwsgierig toe vanuit hun eigen tenten.

'Wat is er aan de hand?' vroeg Annet en ze zette haar handen in haar zij. Ze keek van Sven naar Michael en toen naar Paul.

'Hij heeft mijn ketting gestolen!' riep Michael beschuldigend. 'De ketting met mijn moeder erin. Je wist hoe belangrijk hij voor mij was.'

'Je bent gek!' riep Sven en hij balde zijn vuisten. 'Alsof ik dat lelijke ding zou willen hebben!'

'Ho ho...' zei Michaels vader en hij hield zijn handen omhoog. 'Sven, heb jij die ketting gepakt?'

Even leek Sven van zijn stuk gebracht. Hij staarde naar Michaels vader. 'Nee.'

Annet legde haar hand op Svens schouder. 'Sven zou zoiets nooit doen,' zei ze en ze keek met een diepe frons naar Michaels vader.

'Nou, de ketting zat anders wel verstopt in zijn spullen. En toen meester Bas vroeg of iemand hem had gezien, heeft Sven ook niet gezegd dat hij hem gevonden had en daarom in zijn tas had gedaan!' zei Michael. Hij ging wat dichter bij zijn vader staan, die een hand op zijn rug legde. Prima, dacht Michael, dit ging goed...

'Tja...' Paul krabde even aan zijn hoofd. 'Ik vind het wel raar dat jij die ketting in je tas had zitten, Sven. Michael had hem tenslotte in een broekzak gedaan en die dichtgeritst. Als jij hem om wat voor reden dan ook gevonden zou hebben, had je hem natuurlijk terug kunnen geven...'

'Sven?' Annet pakte Sven bij zijn schouders en keek hem aan. 'Ik wil het eerlijk horen. Heb jij die ketting gepakt? Of gevonden?'

Sven haalde diep adem en keek zijn moeder recht in haar ogen. 'Nee, mam. Dat heb ik echt niet gedaan.'

Ze legde haar arm om zijn schouders en keek Paul en Michael aan. 'Ik geloof hem,' zei ze verdedigend. 'Sven doet dat soort dingen niet.'

'Nou, soms doen kinderen dingen die ze niet aan hun ouders vertellen...' zei Paul. 'Michael is erg gehecht aan deze ketting en zou er heus niet slordig mee omgaan.'

Annet en Paul keken elkaar een tijd aan. Michael keek boos naar Sven, die woedend terugstaarde. Op een afstandje stond meester Bas te kijken. Hij had tegen de andere kinderen gezegd dat ze verder moesten gaan met inpakken.

'Ik denk niet dat het zin heeft hier nog veel over te zeggen...' zei Annet vastbesloten. 'Ik geloof Sven, jij gelooft Michael. Het lijkt me beter dat we verdergaan met inpakken. Kom Sven, pak je spullen lieverd, en zet ze in de moedertent. Michael, wacht jij maar met inpakken totdat Sven klaar is, het lijkt me geen goed plan als jullie nu allebei de tent in gaan. Sven, schiet maar even op.' Ze gaf hem een zacht duwtje en keek toen naar Michael en Paul. Ze knikte kort. 'Michael. Paul.' Toen draaide ze zich om.

'Wacht, Annet...' riep Paul nog, maar Michael pakte hem beet.

'Pap, ik moet er niet aan denken dat mijn ketting door Sven verkocht zou zijn of zo... Hij heeft vanaf de eerste dag al de pest aan me gehad.' Michaels stem trilde. 'Dit is alles wat ik nog van mama heb...' zei hij zacht.

Zijn vader trok hem even tegen zich aan. 'Gelukkig heb je hem weer,' zei hij. 'Nou, wacht maar even tot Sven klaar is met inpakken. Dan kun jij daarna je spullen halen.' Zijn stem klonk mat. Hij keek nog even naar Annet, die met haar rug naar hem toe stond bij haar half afgebroken tent, en schudde nauwelijks merkbaar zijn hoofd. Daarna liep hij naar zijn eigen tent om deze verder af te breken.

Michael keek hem na. Yes! Voorlopig hoefde hij niet bang te zijn dat zijn vader iets met Annet zou willen.

Meester Bas klapte in zijn handen en spoorde de overgebleven kinderen aan: 'Kom op. Jongens, koffers en tassen inleveren. We moeten over een kwartier op de fiets zitten naar het natuurmuseum.'

Een goed gesprek

Kaat liet voor de derde maal warm water in het bad lopen en goot opnieuw badschuim in het water. Ze lag er al zeker drie kwartier in en iedere keer dat het water koud dreigde te worden, deed ze nieuw warm water erbij. Ze ging voorzichtig achteroverliggen met haar hoofd nog net boven water.

Er werd op de badkamerdeur geklopt. Haar moeder stak haar hoofd om de deur. 'Hoi. Even kijken of je nog leefde. Blijf je in bad wonen, denk je?'

Kaat lachte. 'Het is heerlijk. Op kamp kun je niet echt douchen en ik was helemaal vies.'

'Zeg dat wel.' Mam ging even op de rand van het bad zitten. 'Je leek wel een holbewoner. En hoe kwamen je schoenen zo smerig?!'

'Paddenpoel,' grinnikte Kaat.

'Paddenpoel?' echode mam.

'Ja, vanochtend hebben we nog padden gevangen in de paddenpoel. We hoopten dat ze in knappe prinsen zouden veranderen.'

'O. Maar je hebt toch geen pad gekust, hè?' vroeg haar moeder opeens serieus.

Kaat keek haar aan. 'Waar zie je me voor aan, mam? Een pad kussen?'

'Ja, dat kan fataal aflopen, hoor. Dat is niet bepaald een sprookje.' Mam deed wat shampoo op haar handen en begon Kaats haren te masseren. 'Padden kunnen giftig zijn en een klein beetje gif is al genoeg om je slijmvliezen flink te irriteren. Daarom moet je geen padden zoenen.'

'O. Ik dacht dat je geen padden moest zoenen omdat het gewoon heel erg raar zou zijn om een pad te zoenen...' zei Kaat droog.

'Ha ha. Ja, dat ook. Maar goed, geen pad gezoend, dus ook geen prins op het witte paard, neem ik aan.'

Kaat sloot even haar ogen. Heerlijk, als haar moeder haar haren zo waste. 'Nou... eigenlijk wel een beetje. Mam? Hoe weet je wanneer je verliefd bent?'

Haar moeders handen hielden even op met masseren. 'O jee... Oké. Nou, dan kun je alleen maar aan die persoon denken. Je dagdroomt over die persoon en je wordt rood als hij je aankijkt of iets tegen je zegt. Je bent misselijk en je buik lijkt zich binnenstebuiten te keren en...'

'Ja, dat heb ik allemaal...' zei Kaat.

'En wie is de, eh... gelukkige kikker?'

'Michael. Je weet wel, die nieuwe jongen uit Australië.'

'O ja, maar die woont hier toch maar tijdelijk?' Mam veegde wat schuim van Kaats voorhoofd.

'Ja, maar nu blijven ze nog iets langer. Vanwege zijn vaders werk.'

'En die Michael, vindt hij jou ook leuk?'

'Dat weet ik eigenlijk niet zo goed. Ik dacht van wel, maar nu weet ik het niet zeker, hij doet zo raar. Alsof hij me niet kent...' Ze slikte.

'Hm, dat is wel herkenbaar. Je vader keek me aan alsof ik een ruimtewezen was, de eerste paar keren dat we uitgingen.'

'Mam, hoe oud was jij toen je voor het eerst... zoende met een jongen?'

Mam lachte bij de herinnering. 'Ik was vijftien. En dat was eigenlijk best nog jong. Jullie zijn er tegenwoordig nogal vroeg bij, met zoenen en zo. Maar waarom vraag je dat? Heb jij al gezoend dan?'

'Eh... nou... nee... niet echt... misschien een beetje...' stamelde Kaat.

'O. Wat bedoel je precies?'

'Die Michael... hij gaf me een zoen. Op mijn wang. Maar ik heb niet teruggezoend. Dat durf ik niet.'

'Kaatje?' Mam pakte een bakje met water en spoelde alle shampoo uit haar haren.

Kaat zat rechtop met gesloten ogen.

'Moeten we, eh... moeten we het S-gesprek hebben?'

'Het S-gesprek?' Kaat keek haar niet-begrijpend aan.

'Je weet wel. Het je-weet-wel-gesprek, over seks.'

'Nee!' zei Kaat snel. 'Mam! Ik ben alleen maar verliefd, hoor.'

'Dat weet ik,' zei mam, 'maar jullie zijn er soms opeens zo vroeg bij... Het zou fijn zijn als je pas aan seks zou doen als je daar echt mentaal en fysiek aan toe bent, maar je weet nooit...'

'Maham!' riep Kaat met een rood hoofd. 'Ik ben twaalf. Ik heb heus nog geen seks of zo, hoor. Gatsie! Ik moet er niet aan denken.'

'Oké, oké! Gelukkig maar. Als je er een keer over wilt praten, tegen die tijd... dan wil ik dat je weet dat je altijd bij mij terecht kunt. En één ding – en dat geldt net zo goed voor zoenen – doe nooit iets tegen je zin of waar je niet achter kunt staan. Beloofd?'

Kaat dacht opeens aan DJ15. De webcam. Dit was hét moment om het met mam te bespreken, nu haar moeder eindelijk tijd had en ze een goed gesprek hadden. Natuurlijk zou haar moeder best boos zijn, maar ze kon uitleggen hoe het gegaan was en advies vragen.

Ze schraapte haar keel. 'Mam, er is iets wat...'

Op dat moment klonk er een deuntje. Mam haalde haar mobiel uit haar broekzak en gebaarde naar Kaat dat ze stil moest zijn. Na een minuut verbrak ze de verbinding en stond op. 'Dat was Antoine. Hij is ziek geworden en we komen handen tekort in Lepels. Ik moet erheen. Wat wilde je trouwens zeggen, liefje?'

'Niets...' Kaat probeerde de teleurstelling uit haar stem te houden. 'Helemaal niets.'

Mineraalwater, kralen en sneeuwlaarzen

Michael lag op bed en draaide zich op zijn rug. Hij staarde naar het plafond. Pap was sinds ze vanmiddag van kamp waren gekomen, stil geweest. Hij had gezegd dat het door de vermoeidheid kwam, maar Michael zag dat hij loog. Natuurlijk was het niet de vermoeidheid, maar het incident met de ketting. Nadat ze bij school waren aangekomen – Sven en Michael hadden de hele fietstocht niet met elkaar gesproken – had zijn vader nog geprobeerd iets vriendelijks tegen Annet te zeggen, maar die had zich zonder te luisteren omgedraaid en was met Sven weggelopen.

Dus alles verliep volgens plan.

Maar waarom voelde het dan toch niet goed? Michael blies zijn adem uit. Verdorie. Sven was eigenlijk een van de weinige vrienden die hij had gemaakt. En nu had hij juist die vriend flink verraden. Maar er was gewoon geen andere mogelijkheid geweest. Hij wilde niet dat pap mama ging vervangen. Niet door Annet, niet door wie dan ook. En als dat betekende dat hij Sven daarvoor moest verlinken, nou, dan was dat maar zo.

Kaat logde 's avonds in. Ze had eerst lekker bij haar vader beneden gezeten en alles – bijna alles – van het kamp verteld.

Haar vader zat nog steeds met zijn been in het gips en had dat op de bank gelegd en geluisterd. 'Klinkt goed. Ik zou best eens mee willen...' zei hij. 'Misschien het volgende kamp.'

'Dat is ons afscheidskamp. Maar jullie hebben het altijd te druk. Jullie hebben toch geen tijd,' zei Kaat, 'en dan moet je echt een week weg kunnen. Maandag weg, vrijdag terug.'

'Ja... lang. Maar weet je, Kaatje, ik ben nu al een paar weken thuis en dan heb je alle tijd om eens rustig na te denken en ik vind eigenlijk dat jullie wel erg veel alleen moeten doen. Ik zie nu wat duidelijker hoe lastig dat soms voor jullie moet zijn. Jij en Luuk zitten bijna de hele avond op je kamer, een beetje te chatten met je vrienden en...'

Kaats adem stokte even. Zou haar vader weten wat er gebeurd was?

'...en je moet vaak zelf je eten opwarmen en ervoor zorgen dat je op tijd op hockeytraining en voetbaltraining bent. Ik heb het er al met mama over gehad. Als ik weer helemaal op de been ben, gaan mama en ik uitkijken naar een nieuwe kracht erbij in het restaurant. Iemand die ons een boel werk uit handen gaat nemen. Dan is de winst misschien wel minder, en kunnen we niet meer drie keer per jaar ver weg op vakantie, maar daar staat tegenover dat we veel meer thuis hopen te zijn. En dan zou ik best een week vrij kunnen nemen om met jou op kamp te gaan.'

Kaat was hem om zijn hals gevlogen en had hem op zijn wang gezoend. 'Yes! Dat zou geweldig zijn.'

Nu logde ze in op MyFriendz. Ze klikte op haar profiel en zag dat ze alweer 96 vrienden had. En kijk! Er was al zeker duizend keer op haar site gekeken en ze had honderden Knuffelz gekregen. Hoe kon dat nou eigenlijk? Was ze zo populair?

Ze scrolde naar beneden. Er waren tientallen berichtjes geplaatst, zag ze tot haar verbazing. Leuk. Ze neuriede en begon te lezen.

hey lkkr ding!!!

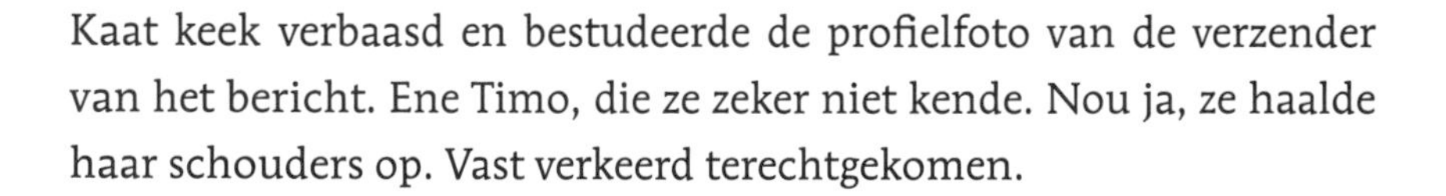

Kaat keek verbaasd en bestudeerde de profielfoto van de verzender van het bericht. Ene Timo, die ze zeker niet kende. Nou ja, ze haalde haar schouders op. Vast verkeerd terechtgekomen.

yo! zou jou ook wel als mijn vriendinnetje wille hebbuh.

Die was van ene 'Boy14'. Kende ze ook niet. Er bekroop haar een heel ongemakkelijk gevoel.

Sgatjuhhhhh! Van iemand die zich Killuhboy noemde.
Seksie!!! Van Justin.

Kaat slikte en scrolde steeds sneller naar beneden. Ze voelde het bloed kolken in haar lijf. Wat was er aan de hand?!? Waarom had ze zo veel berichtjes van mensen die ze niet kende?

Er lichtte een groengeel kadertje op. **DJ15 online**.

DJ15 zegt: **hey!!!!! lang niet gezien!!!!! waar was je nou?**
Snoepie12 zegt: **op kamp, had ik dat niet gezegd?**
DJ15 zegt: **miste je al! hier, een kadootje.**
DJ15 biedt bloemen aan Snoepie12 aan.
DJ15 zegt: ☺ ❀

Kaat glimlachte, ze begon zich al iets beter te voelen.

Snoepie12 zegt: **oh! hoe doe je dat?**
DJ15 zegt: **zie je linx onder je profiel? daar staat 'geef cadeautjes' en dan kun je kiezen wat je wilt geven. natuurlijk wel allemaal virtueel.**
Snoepie12 zegt: **lagguh!**
DJ15 zegt: **w8 ff.**
DJ15 biedt een zakje kralen, een glaasje mineraalwater, een paar sneeuwlaarzen aan Snoepie12 aan.
Snoepie12 zegt: **LOL!**
DJ15 zegt: **hoe wast?**
Snoepie12 zegt: **leuk! egt een vet kamp gehad. weinig geslapen, veel lol gehad.**
DJ15 zegt: **cool! hebben wij nooit op school. in groep 8 voor t laatst.**

Snoepie12 zegt: **in welke groep zit jij eigenlk?**
DJ15 zegt: **ha ha. ik zit niet meer in n groep!!! tweede klas middelbare.**
Snoepie12 zegt: **sorry, had t kunne weten, je bent al 15.**
DJ15 zegt: **yep!**
DJ15 biedt colaatje aan Snoepie12 aan.
Snoepie12 zegt: **blijf je kadootjes geven?**
DJ15 zegt: **ja. maar lijkt me leuker ze in t egt te geven! wat zeg je ervan?**

Kaat herlas de laatste zin. Wat ze ervan zou zeggen? Waarvan?

Snoepie12 zegt: **snaptnie.**
DJ15 zegt: **zou je n xtje egt cola aan willen bieden. zullen we afspreken?**
Snoepie12 zegt: **oei, weet niet of dat mag.**
DJ15 zegt: **ja duh!!! zeg je tog zeker niet tegen je ouders!!!!! tuurlijk mag dat dan niet... die gaan dan zeggen dat ik een enge moordenaar kan zijn en dat soort dingen.**
Snoepie12 zegt: **ja! en jij zegt dan natrlk dat je dat niet bent...**
DJ15 zegt: **tuurlijk zou ik jou dat niet aan je fiets gaan hangen, maar waar zie je me voor aan???? dagt dat we vrienden waren, dat je me vertrouwde...**
Snoepie12 zegt: **ja, dat wel, maar ik ken je niet egt...**
DJ15 zegt: **en je leert me niet kennen ook, als we elkaar nooit ns zullen zien. kom op, angsthaas! dagt dat je stoerder was. hey, maar als je t eng vindt... zal ik Chloe meevragen? ze wilde je nog iets vertellen over fotomodel worden en zo. had nieuws voor je geloof ik.**

Kaat beet op een nagel. Ze frunnikte aan een papiertje dat op haar bureau lag. Als Chloe erbij zou zijn, dan kon er weinig misgaan. Bovendien leek het haar best leuk om DJ eens te ontmoeten. Hij leek haar aardig. Waarom ook niet? Haar vingers bleven even boven haar toetsenbord hangen. Toen begon ze weer te typen.

Snoepie12 zegt: **oke...**
DJ15 zegt: **yes. leuk!!! ken je het Vijverpark?**
Snoepie12 zegt: **jawel, ken ik.**
DJ15 zegt: **tegenover het theehuis staan houten bankjes. zie ik je morgenmiddag daar, om 4 uur.**
Snoepie12 zegt: **oke!**
DJ15 zegt: **en niet tegen je ouders zegguh hoor, die begrijpen dat soort dingen nooit.**
Snoepie12 zegt: **is goed. maar hoe herken ik je?**
DJ15 zegt: **ik heb een grote bijl bij me en draag een bloederig T-shirt met 'Moordenaar' erop.**
Snoepie12 zegt: **?????**
DJ15 zegt: **is grapjuh natuurlijk!!!!! ik draag blauw jack en heb twee blikjes cola bij me, oke? ik ben die heeeeeele knappuh jongen waar iedereen naar omkijkt ☺**

Kaat haalde opgelucht adem.

Snoepie12 zegt: **oke! zie je dan.**
DJ15 zegt: **ciao bella!**

Kun je een geheim bewaren?

'Lekker uitgeslapen allemaal?' Meester Bas keek de klas rond.

Omdat ze de dag ervoor van kamp terug waren gekomen, mochten ze vandaag anderhalf uur later beginnen dan op een normale schooldag.

Iedereen knikte.

'Goed zo. Ik ook, dus we kunnen er weer met frisse moed tegenaan. Voordat we met begrijpend lezen gaan beginnen, wil ik eerst nog even de overgebleven voorraden verloten.'

Dat gebeurde ieder jaar na het laatste kamp. Dan werden alle overgebleven etenswaren – halve potten jam, flessen limonade, aangebroken pakken hagelslag, tubes mayonaise en zakken chips – verloot onder de kinderen.

Iedereen kreeg wat mee.

Toen ze in de pauze haar lunch uit haar tas haalde, zag Kaat de rol koekjes die ze gekregen had; lekker! Fleur en Frederique kwamen naast haar staan. Ze waren in de aula, waar ze altijd heen moesten wanneer ze moesten overblijven.

'Zin om vanmiddag wat bij mij te doen? Gaan we een leuke dvd kijken of zo.'

Kaat slikte een stuk brood weg. Vanmiddag... haar maag ging meteen op slot en ze liet haar boterham zakken. 'Eh... nee, dat kan niet... Ik... ik heb al een afspraak.'

'O, jammer. Waar moet je naartoe?' Frederique wikkelde het papiertje van haar snoepje en keek de aula rond. 'Zouden Sven en Michael alweer vrienden zijn, denk je?'

Kaat keek naar Sven.

Hij lachte om iets wat Joris zei. Michael was gaan eten bij zijn opa en oma.

'Geen idee. Ik weet ook niet zo goed wat ik ervan moet denken. Ik bedoel, zie jij Sven ervoor aan dat hij iets zou stelen?'

Frederique schudde haar hoofd. 'Nee, eigenlijk niet. Maar je weet nooit. Mikes ketting was blijkbaar op de een of andere manier toch in Svens tas beland... En dat is op z'n minst een bezwarende omstandigheid.'

'Een wat?'

'Bezwarende omstandigheid. Kijk jij nooit naar **CSI**?'

Kaat schudde haar hoofd.

Fleur keek naar Sven. 'Ik weet zeker dat hij nooit zou stelen!' zei ze en ze stond op. 'Ik moet nog even naar de wc, zie jullie later wel.'

'Maar waar ging je nou heen vanmiddag, zei je?' ging Frederique onverstoorbaar verder.

Kaat keek Frederique aan. 'Kun je een geheim bewaren?' Ze leunde naar haar vriendin toe en begon zacht te praten.

Kaat liep aarzelend het park in. Ze had haar moeder ge-sms't dat ze eerst nog even een werkstuk af wilde maken bij Frederique. Haar moeder zou flippen als ze wist dat Kaat in het park had afgesproken met DJ en Chloe. En eerlijk gezegd was ze er zelf ook niet helemaal gerust op.

Frederique had haar verbijsterd aangekeken toen ze had verteld dat ze DJ en zijn zus vandaag zou ontmoeten in het park. Frederique wist nog steeds niets van het voorval met de webcam. 'Maar dat is veel te link... Iedereen weet toch dat je nooit zomaar af moet spreken met iemand die je via internet hebt leren kennen?'

'Nee joh! DJ is niet link. Trouwens, z'n zus komt mee, weet je wel. En het is gewoon in het park, ik ga niet naar zijn huis!'

'Nee, dat niet...' Frederique had haar weifelend aangekeken. 'Maar toch. Ben je niet bang dat hij je iets aandoet? Of volgt naar huis? Misschien gaat hij je wel stalken.'

Kaat had de bezwaren weggelachen. 'Wat ben jij wantrouwig, zeg. Niet iedereen is een gestoorde maniak.'

'Maar Kaat, wat weet je nou van hem? Misschien is hij wel een stuk ouder dan vijftien en is hij een vieze man, een pedofiel. Kom op! Je weet best dat je nooit, maar dan ook nooit zomaar met iemand af moet spreken!'

Kaat had haar keel geschraapt. Ja, misschien had Frederique gelijk, maar niet wat DJ betrof. 'Ik weet toch dat het geen man is?! Heb een foto van hem gezien, kom op zeg.'

'Maar dat kan wel een foto van zijn neefje zijn. Of zijn zoon.'

Kaat had nadenkend naar haar vriendin gekeken. 'Wat moet ik doen dan? Want ik wil hem eigenlijk wel graag ontmoeten...'

Ze liep door het park en zag het Theehuis. Daartegenover, langs het wandelpad, stonden een paar houten bankjes. Er waren veel mensen in het park. Zie je wel, dacht ze, als er iets zou gebeuren, kon ze gewoon heel hard gaan gillen en zouden genoeg mensen het horen.

Kaat keek naar de bankjes. Op een ervan zat een ouder echtpaar eendjes te voeren. Op een ander bankje zat een jonge vrouw met een peuter. En op het derde bankje zat niemand.

Kaat keek om zich heen. Wat nu? Zou ze maar gewoon naar huis gaan? Ze besloot op het lege bankje te gaan zitten. Ze zou vijf minuutjes wachten en dan weer weggaan. Misschien was er iets tussen gekomen. Of had DJ zich bedacht.

Ze liep naar het bankje, haar hart ging sneller tekeer dan ze wilde. In het voorbijgaan keek ze even naar het oudere stel. Die zagen er wel aardig uit; als er echt iets was, zou ze naar hen toe rennen.

Kaat ging zitten en staarde naar de eendjes. Opeens hoorde ze een stem achter zich.

'Hé! Je bent gekomen. Wat goed!'

Kaat draaide zich om en keek in het gezicht van een jongen die wat ouder was dan zij. Hij moest ongeveer even oud zijn als Luuk, schatte ze. Hij léék wel op DJ, maar ook weer niet helemaal. DJ had op zijn profielfoto een erg knap gezicht en prachtig haar. Deze jongen had behoorlijk wat puistjes en vet haar.

Kaat slikte even en glimlachte toen. 'Hai...' zei ze, 'ben jij DJ?'

De jongen liet zich naast haar op het bankje vallen en grijnsde. 'Yep! Helemaal. En jij bent Kaat, dat zie ik zo. En mag ik zeggen dat je in het echt nog knapper bent dan op de foto?'

Kaat werd rood en lachte krampachtig. Ze kon moeilijk zeggen dat dat ook voor hem gold. Ze staarde even naar zijn groezelige handen.

'Nou, Snoepie12, daar zitten we dan.' Hij rommelde wat in zijn jaszak en haalde er twee blikjes cola uit. Hij overhandigde er een aan haar.

Ze zag dat er allemaal vuil onder zijn nagels zat. Ze kon zich bijna niet voorstellen dat deze jongen een beroemd model als zus had. Aan de andere kant, Luuk zag er ook wat puisterig uit, dat hadden jongens nu eenmaal op deze leeftijd. En Luuk had tenslotte ook een leuke en knappe zus, bedacht ze en ze moest even glimlachen.

'Dank je.' Ze nam het blikje cola van hem aan en opende het. 'Waar is je zus? Chloe?' Ze nam een slok. Jeetje, wat een rare situatie. Thuis achter de pc zou ze zo weten wat ze moest zeggen, maar hier... nu ze naast hem zat, vond ze dat enorm moeilijk.

Hij begon te lachen. 'Chloe. Nou, die is er niet.'

'Maar ze zou toch meekomen?' Kaat begon het benauwd te krijgen. Dit voelde niet goed. 'Ze zou iets vertellen over het modellenwerk. Komt ze wat later?'

DJ keek haar aan en grijnsde boosaardig.

Het beviel Kaat eigenlijk helemaal niet hoe hij in het echt was. Bij zijn volgende woorden voelde ze de grond onder haar voeten wegzakken.

'Wat ben jij naïef. Heerlijk! Joh, ik heb geen zus die Chloe heet.

Mijn zus heet Kim.'

'Maar... is Chloe dan haar modellennaam of zo?'

DJ begon te lachen. 'Ha ha! Je bent onbetaalbaar. Nou, niet echt, nee. Chloe bestaat helemaal niet. En Kim is zeker geen model. Kim is net vijf.'

Kaat staarde hem niet-begrijpend aan.

DJ zat haar onderuitgezakt te bekijken.

'Hoe kan dat dan? Ik heb toch met Chloe gechat?' stamelde Kaat verbijsterd. Wat gebeurde hier? Ze voelde hoe het bloed naar haar hoofd stroomde. Pioenrood, zou Fleur het noemen.

'Tja, maar heb je Chloe ooit echt gezien? Ik bedoel, ze heeft ingelogd, maar dat kan iedereen doen, toch?' Hij ging wat rechter zitten, nam een slok cola en boerde even.

'Sorry.' Hij veegde zijn mond af met de achterkant van zijn hand. 'Maar goed. Chloe bestaat dus niet. Ja, als account, maar niet als persoon. Tenminste, je zou ook kunnen zeggen dat ik Chloe ben. Je kunt gewoon onder iedere naam een account maken op allerlei sites. Handig, man. Ik gebruik Chloe al een jaar of zo.'

Kaat stond op. Ze keek hem boos aan. 'Ik weet niet waarom je dat gedaan hebt, maar het is zeker niet grappig. Ik dacht dat je echt een zus had die model was. Waarom heb je me dat laten geloven?!'

DJ grijnsde en keek haar met half dichtgeknepen ogen aan. 'Omdat je je nooit uitgekleed zou hebben voor mij. Maar wel voor Chloe, het topmodel...'

'O. Dus... nee! Jij hebt daar gewoon naar zitten kijken?! Hoe kón je!' Kaats hart ging enorm tekeer en haar hoofd tolde terwijl ze terugdacht aan die avond voor de webcam. Hoe had ze zó stom kunnen zijn?! Fleur en Frederique hadden helemaal gelijk gehad. Ze kon zichzelf wel voor haar kop slaan. Maar liever nog wilde ze DJ voor zijn kop slaan. Ze balde haar vuisten en keek hem woedend aan.

'Jij... wat ben jij een achterbaks insect, zeg!' Ze rechtte haar rug en haalde diep adem. 'Ik hoef jou nooit meer te zien en ik ga je ook meteen uit mijn netwerk gooien. Bah!' Ze draaide zich om en liep weg. Ze had net een paar stappen gezet, toen ze hem zacht hoorde lachen.

'Snoepie... je kunt helemaal niet weg. Kijk eens wat ik heb.' Zijn stem klonk zacht maar dreigend.

Kaat draaide zich om.

In zijn hand hield DJ een mobieltje. Hij draaide het scherm naar haar toe.

En Kaat zag zichzelf, naakt voor de webcam...

Hij had alles gefilmd met zijn mobieltje.

Even leek de wereld weg te vallen. Ze voelde zich misselijk worden en staarde ontzet naar het filmpje. Het beeld was niet heel erg duidelijk, maar dat maakte niet uit. Ze herkende zichzelf en het filmpje liet weinig aan de verbeelding over.

'Waarom... wat wil je?' fluisterde ze. Haar mond voelde droog aan, alsof er stro in zat.

DJ klopte naast hem op de bank. 'Kom, ga even zitten. Dan kunnen we het erover hebben.'

Kaats benen voelden als loodzware boomstammen, maar ze liep toch schoorvoetend terug naar het bankje en ging zo ver mogelijk bij hem vandaan zitten. Wat een afschuwelijke situatie. Ze drong de tranen terug die ze op voelde komen.

'Ik wil dat jij iets voor me doet,' zei DJ en hij schoof haar kant uit.

Wat wilde hij? Geld? Ze had een spaarrekening, er stond zeker bijna driehonderd euro op. Die kon ze wel geven.

'Ik wil dat jij mijn vriendinnetje wordt...' zei DJ en hij legde een arm om haar schouders.

Nu voelde Kaat alles om zich heen draaien. 'Wát wil je?!' stamelde ze.

'Dat je mijn vriendinnetje wordt. Op school denken ze altijd dat ik geen meisjes kan krijgen, maar nu heb ik wel een hele knappe vriendin. Dus ga je mee naar feestjes en zo. En spreken we zo nu en dan eens af.'

'Nee!' fluisterde Kaat. 'Dat doe ik niet.'

'O jawel, hoor! Want als je dat niet doet...' hij zwaaide het mobieltje voor haar neus heen en weer, 'dan zet ik dit leuke filmpje op MyFriendz. Of op YouTube. Mijn vrienden vonden het trouwens een erg leuk filmpje, ze hebben je meteen allemaal Knuffelz gegeven. Heb je wel gemerkt, toch?'

Kaat slikte. Natuurlijk. Alle opmerkingen en berichtjes die ze had gekregen van jongens die ze niet kende... Ze kreunde en de misselijkheid golfde door haar lijf.

DJ leunde voorover en gaf haar opeens een zoen op haar wang. 'Kom op. Zo erg is het niet, ik ben best een leuke jongen, hoor. Ha ha! Nou, ik laat je nu maar even alleen. Als je nou vanavond inlogt op MyFriendz, kunnen we lekker chatten. Om een uurtje of negen. Enne, Snoepie?'

Kaat had een bittere smaak in haar mond en keek op.

'Als je niet inlogt, zet ik alvast een klein stukje op internet. Zodat je me gelooft. Dag Snoepie, tot vanavond.' DJ stond op en slenterde weg.

Kaat bukte en gaf over.

Even voorstellen...

Michael wreef over zijn gezicht. Poeh, dat viel niet mee, dat verven. Samen met zijn vader had hij verf uitgezocht voor het appartement. Australische kleuren, had Michael gezegd. En dus was er aarderood en diepblauw en warm geel. Precies de kleuren van zijn land, vond Michael. De combinatie deed hem denken aan Ayers Rock, een van de grootste attracties van Australië, een enorme roodkleurige rots midden in het woestijnlandschap. In zijn slaapkamer hadden zijn vader en hijzelf Aboriginaltekens op de muur gemaakt. Al met al, moest Michael toegeven, zou het een prachtig appartement worden. Hij zou zich er in ieder geval thuis kunnen voelen. Hij zette de radio nog wat harder en zong luidkeels mee. Verder stond er niets in het appartement. Hij hoorde zijn vader meeneuriën vanuit de badkamer, waar hij het plafond aan het witten was.

Michael brak een stuk chocola af en stak het in zijn mond.

De bel ging. Michael keek verbaasd op. Misschien opa of oma wel. Hij liep naar de deur en opende hem. Voor hem stond Annet.

Hij schrok er zo van dat hij zich bijna verslikte. Wat kwam die nu doen? Hem de huid vol schelden? Was ze erachter gekomen hoe het écht zat met de ketting? Hij hoestte en hoorde zijn vader de badkamer uit komen.

'Mike, heb jij die dikke kwast? Ik ben... O! Hallo...' zei zijn vader onzeker, toen hij Annet zag.

'Hai. Ik... ik was in de buurt en dacht, laat ik eens langsgaan. Kijken of we de strijdbijl misschien kunnen begraven.'

Michael fronste. Welke bijl? Hij was zich er niet van bewust dat hij nog steeds de doorgang blokkeerde.

'Mag ik misschien binnenkomen?' vroeg Annet.

'Natuurlijk! Waar zijn onze manieren. Mike, even de dame erlangs laten, jochie.'

Annet hield een zak omhoog. 'Appelflappen. Hier op de hoek zit een goeie bakker.' Ze liep naar binnen en Michael rook de kaneel en warme appeltjes door de zak heen.

Annet liep rond. 'Mooi. Wat een hoop ruimte en licht, en wat een uitzicht!' Ze ging bij het raam staan en keek naar buiten.

Pap ging naast haar staan en Michael bleef in de deuropening. Hij vond het maar niets dat ze hier was. Wat als ze opeens zou zeggen dat ze erachter was gekomen hoe het echt zat? Dat hij de ketting stiekem verstopt had in de zwemtas van Sven, zodat het zou lijken alsof Sven de ketting gestolen had. En zodat er ruzie zou ontstaan en zijn vader niets meer met Annet te maken wilde hebben.

Annet schraapte haar keel. 'Over de ketting van Michael...'

Zie je wel, dacht Michael en hij voelde zich ellendig, daar had je het al. Hij durfde nauwelijks naar zijn vader te kijken.

'Ik wilde even zeggen dat het me spijt dat je je ketting kwijt was. Ik begrijp heel goed hoe belangrijk hij voor je is, Michael. Ik weet nog steeds niet wat er gebeurd is. Sven blijft erbij dat hij het niet gedaan heeft. Ik weet het niet. Als hij het wel gedaan heeft, zal hij het nu niet meer gaan opbiechten, denk ik. Want dan heeft hij én gestolen én gelogen. Ik heb met hem afgesproken dat we het er niet meer over hebben. De waarheid zal wel nooit echt boven tafel komen. Ik hoop nog steeds dat het een vergissing was. Maar ik zou het jammer vinden als...' Ze haalde even diep adem en keek Michaels vader aan, '...nou ja, als wij daardoor niet langer... bevriend zouden zijn. Misschien kunnen we een nieuwe start maken?' Ze keek van pap naar Michael.

Aan de ene kant was Michael enorm opgelucht dat ze er niet achter was gekomen hoe het zat. Aan de andere kant was zijn plan om Annet en zijn vader bij elkaar uit de buurt houden nu wel mislukt.

Michael haalde zijn schouders op. 'Best,' mompelde hij.

'Graag! We beginnen gewoon opnieuw.' Pap liep op Annet af en gaf haar een hand. 'Dag, ik ben Paul en dit is mijn zoon Michael.'

Radeloos

'Wat ben je toch stil,' zei mam en ze keek Kaat oplettend aan. 'En je eet zo weinig. Het is nog wel je lievelingseten, spaghetti carbonara. Is er iets?'

Kaat draaide lusteloos wat sliertjes spaghetti aan haar vork.

'Nee. Niets.'

'Zeker weten? Nou, zou je dan wel je ellebogen van de tafel willen halen en even rechtop willen gaan zitten?'

Onwillig ging Kaat goed zitten. Niets smaakte. Ze had met iedere hap het gevoel dat ze de brandende bal in haar keel groter maakte. Moeizaam slikte ze.

Haar vader boog zich voorover en legde zijn hand op haar voorhoofd. 'Je wordt toch niet ziek? Nee, geen koorts in ieder geval. Ga vanavond maar eens een avondje op tijd naar bed, tegenwoordig ga je zo ontzettend laat. En je zit maar achter die computer op je kamer. Vanavond eens een keer niet. Lekker vroeg met een boek naar bed en op tijd het licht uit.'

Kaat keek somber naar haar bord.

'We maken ons een beetje zorgen om je, Kaatje.' Haar moeder aaide over haar wang. 'Gaat alles echt wel goed? Zijn er problemen op school? Is er iets voorgevallen met... de pad?' Mam keek haar veelbetekenend aan.

Luuk at grote happen spaghetti en keek zijn zus ook onderzoekend aan. 'Een pad? Wat voor pad? Is er iets gebeurd met een pad dan?'

Kaat voelde drie paar ogen op zich gericht en haar eigen ogen vulden zich met tranen. Ze schoof haar bord weg. 'Er is helemaal niets met een pad. Er is niets met mij. Er is gewoon niets! Jullie begrijpen het toch niet!' riep ze. Ze schoof haar stoel naar achteren en rende de keuken uit.

'Nou ja. Kaat!' riep haar vader nog en ze hoorde mam zeggen: 'Laat haar maar even. Het is denk ik ludduvuddu.'

'Wat is dat nou weer voor rare jarenzestigterm?' grijnsde Luuk.

Kaat rende de trap op en liet zich op bed vallen met haar gezicht in de kussens. Hete tranen stroomden over haar wangen.

Wat een puinhoop was haar leven op dit moment. En ze wist totaal niet wat ze eraan moest doen. Niemand kon haar helpen. Ze snifte en pakte haar oude knuffel beet. Een beer die ze al sinds haar kleuterjaren had, helemaal versleten en rafelig. Wat was het leven toen toch makkelijk geweest. Zo veel makkelijker dan nu. Ze duwde haar gezicht in de beer en dacht terug aan de afgelopen dagen.

Het was nu vijf dagen geleden dat ze DJ in het park had ontmoet. Ze was diezelfde avond om negen uur online gegaan, zoals hij gezegd had. En DJ had gewoon gechat alsof er niets aan de hand was. Hij had gezegd hoe leuk hij het had gevonden om haar te ontmoeten en dat ze zo knap was. En daarna had hij verteld over zijn voetbalteam en de wedstrijd die hij dat weekend moest spelen.

Het zou leuk zijn als je kwam kijken.

Dat had hij geschreven.

Kaat had met tegenzin meegechat. Ze wilde niets meer met hem te maken hebben, maar durfde op geen enkele wijze tegen hem in te gaan.

Het zou leuk zijn als je kwam kijken.

Wat had hij daarmee bedoeld? Dat, wanneer ze niet zou komen, hij alsnog het filmpje op internet zou plaatsen?

Ze had teruggemaild dat ze niet kon, dat ze zelf een hockeywedstrijd had die dag en dat ze daarna naar haar oma moest, die jarig was. Dat laatste was niet waar geweest; haar opa's en oma's waren al jaren dood, maar ze wist niets anders te verzinnen.

Volgende X dan maar, dan kunnen mn vrienden zien wat een leuke vriendin ik heb!!! alhoewel sommigen dat natrlk al gezien hebben, ha ha!

Ze had moeten beloven dat ze de volgende avond weer online zou komen. Anders...

En om te laten zien dat hij het meende, had hij een piepklein fragmentje op YouTube gezet. Hij had haar de link gemaild. Het was maar twee seconden lang en je zag niets meer dan dat ze voor de webcam stond. En de kwaliteit van het filmpje was slecht geweest, maar dat maakte niet uit. Kaat wist nu dat hij zijn dreigementen gewoon zou doorzetten. Ze had zichzelf die nacht in slaap gehuild, radeloos van angst.

De volgende avond had DJ gezegd dat ze de webcam weer aan moest zetten en dat hij een modeshowtje wel leuk zou vinden. Kaat had meteen teruggemaild dat haar ouders haar webcam weggehaald hadden. Ook dat was een leugen geweest, maar ze wilde die webcam absoluut niet meer voor hem aanzetten. Ze was veel te bang dat hij haar zou dwingen allerlei dingen voor de camera te doen die ze nooit meer zou willen doen. DJ was boos geworden en had haar niet geloofd. Maar aangezien hij het niet kon controleren, was hij er maar over opgehouden.

Kaat had al sinds de ontmoeting met DJ slecht geslapen. Ze wist niet meer wat ze moest doen. Fleur en Frederique in vertrouwen nemen durfde ze niet. Fleur zou kwaad worden en Frederique zou zeggen dat ze naar haar ouders moest. Frederique had haar na de ontmoeting met DJ wel meteen gebeld en gevraagd hoe het gegaan was. Even was Kaat in de verleiding gekomen alles op te biechten aan Frederique, maar ze had gedacht aan de dreigementen van DJ. Dus had ze haar mond maar gehouden. Ze had Frederique gezegd dat het best gezellig was geweest, meer niet.

Kaat wikkelde het dekbed om zich heen. Ze had zich nog nooit in haar leven zo eenzaam gevoeld.

Verstrooid

Het was de avond voor de verhuizing naar het appartement. Opa en oma hadden extra hun best gedaan om een lekkere maaltijd op tafel te zetten.

Michael keek naar zijn grootouders. Hij zou ze eigenlijk wel missen. De laatste paar maanden was dit zijn gezin geweest en het was toch fijner dan alleen met zijn vader. Thuis kon zijn vader in eindeloos gepieker stil aan tafel zitten en sinds ze hier waren, was er altijd wel een gezellig gesprek tijdens het eten geweest; iemand die een grap vertelde of gewoon samen de dag doornemen. Opa en oma hadden al voorgesteld dat pap en hij tweemaal per week bij hen zouden komen eten en zijn vader had dat aanbod gelukkig dankbaar aangenomen. Zolang ze in Nederland woonden, vond Michael het in ieder geval fijn om zijn grootouders zo dichtbij te hebben, ook al waardeerden ze het niet altijd dat hij zijn muziek zo hard zette...

En hij zag ook dingen van mama in hen. Hij herkende zijn moeders ogen in die van oma en haar gevoel voor humor bij opa. Hij zag de tik die ze altijd had gehad – een lok haar gedachteloos ronddraaien als ze televisiekeek – bij zijn oma terug.

Pap schraapte zijn keel. Hij tikte even met de vork tegen zijn glas. 'Ahum,' kuchte hij, 'ik wilde even iets voorstellen.'

Michaels hart begon te bonken. Zie je wel! Daar had je het al. Hij zou vast voorstellen dat Michael hier zou blijven wonen zodat Annet kon intrekken in het appartement. Sinds het weer goed was tussen zijn vader en Annet, hadden ze elkaar alweer een paar keer gebeld en ze waren één keer samen uit eten geweest. Hij had zelfs begrepen dat ze haar andere relatie, die met Tom, had beëindigd.

'We zijn naar Nederland gekomen om elkaar wat beter te leren kennen en ons niet zo eenzaam te voelen na het verlies van Ellen.' Pap keek naar zijn glas en zijn ogen werden waterig.

Opa en oma zwegen ook.

'We hebben het heel fijn gevonden om hier te mogen zijn. Het voelde heerlijk om in het huis te zijn waar Ellen zo veel prettige en warme herinneringen aan had, want ze sprak graag over haar tijd hier.'

Michaels hart ging nu nog sneller tekeer. Het ging helemaal niet over Annet. Maar hij vond het misschien nog wel moeilijker om zijn vader te horen praten over het gemis van zijn moeder. Hij slikte en nam een slok water om dat hete gevoel in zijn keel te blussen. Vanuit zijn ooghoeken registreerde hij dat oma een traan wegveegde.

'Het is ook goed dat we morgen een eigen huis krijgen. Een eigen plekje om te wonen, maar wel dicht in de buurt. Zodat we gewoon hierheen kunnen komen als daar behoefte aan is, maar ook andersom. En zodat we Ellen kunnen opzoeken in de tuin...' Pap zweeg even en keek naar opa.

Die knikte.

'Michael en ik hebben uit Australië wat as meegenomen van Ellen. Dat leek ons wel mooi; dat er een deel in Australië is en een deel hier. We willen die as graag uitstrooien bij de boomhut. Haar lievelingsplek, en ook, geloof ik, zo'n beetje Michaels lievelingsplek. En dan hebben jullie ook altijd een deel van jullie dochter dicht bij jullie.'

Opa en oma knikten. Oma huilde nu openlijk en opa legde een gerimpelde hand over die van haar.

Michael staarde naar de gordijnen. Ik wil niet huilen. Ik wil niet huilen.

Ze stonden met z'n vieren onder de boomhut. Pap en Michael hielden samen het doosje vast waarin de as van mama zat.

Hij had het eerst, toen mama net gestorven was, een afgrijselijke gedachte gevonden dat ze nu een hoopje as was geworden. Dat hij zijn hand erin zou kunnen steken en zijn moeder zou kunnen aanraken –

maar ook weer niet. Hij was inmiddels gewend aan het idee en zeker toen hij de hanger met as had gekregen, had hij het fijn gevonden altijd wat bij zich te hebben.

Opa legde een arm om Michaels schouders. 'Dit zou ze heel fijn hebben gevonden,' zei opa zacht, 'en wij ook. Michael, je mag altijd naar deze boomhut komen. Ik heb straks nog een kleine verrassing voor je.'

Michael knikte.

Zonder nog iets te zeggen, leegden ze samen, heel rustig, de doos. Michael voelde zijn wangen nat worden, maar dat was niet langer erg. Iedereen huilde zacht en dat mocht ook. De bruingrijze as waaierde uit over de grond, tussen de bloemen en de struiken.

Zo bleven ze nog een poos staan, ieder met hun eigen gedachten.

Opa wees op de naam die in het hout gekerfd was. Op een van de pijlers waarop de boomhut rustte, zag Michael wat letters, die begroeid waren geweest met mos. Het waren versleten letters, hij moest goed kijken wat er stond.

Ellen

Hij keek naar zijn opa.

Die knikte. 'Ja, dat heeft je moeder gedaan. Toen ze ongeveer zo oud was als jij. Ik was het vergeten, maar een paar dagen geleden, toen je vader vertelde dat hij graag de as hier wilde uitstrooien, kwam ik het weer tegen. Ik heb het mos er zo goed en kwaad als het ging uit gekrabd en kijk...' opa haalde een zakmes uit zijn broekzak, 'nu mag jij jouw naam eronder kerven. Zodat je weet dat jullie hier allebei thuishoren.'

Sprakeloos nam Michael het mes aan. Hij staarde ernaar en toen naar de naam van zijn moeder. Hij gaf opa een kus. 'Thank you.'

Na tien minuten stond het er.

Ellen♥Michael

De wel/niet-verkering van Kaat

Bloempje11 zegt: wist helemaal niet dat jij verkering had...! Hoe kun je dat nou verzwijgen voor mij, je ♥ vriendin?!?

Kaat-wjnmk-Fleur-wjnmk-Fred zegt: maar t is helemaal geen egte verkering. dat probeer ik je tog te vertelluh??? die jongen wil dat graag en denkt dat hij zo verkering met mij kan afdwingen...

Bloempje11 zegt: tja. maakt ie wel werk van je. Hij heeft een hele MyFriendz-pagina aan je gewijd en een MyClub opgericht voor jullie!!! hij ziet r best leuk uit trouwens.

Kaat keek naar het scherm. Haar handen trilden. Ze had het gezien, een MyClub waar DJ zijn vrienden – en haar natuurlijk – voor had uitgenodigd. Iedereen die op MyFriendz zat, kon zelf MyClubs aanmaken en daar dan weer anderen voor uitnodigen. Er waren de raarste MyClubs: de ik-hou-van-pizza's-met-kaas-MyClub, de meisjes-met-krullen-zijn-lief-MyClub en nog veel meer.

En DJ had een MyClub gemaakt: Snoepie12 LOVES DJ15 4-ever. Hij had er een foto van haar op gezet – gekopieerd van haar eigen MyFriendz-pagina – en een van hemzelf. Nou ja, van hemzelf... hij zag er op de foto's opvallend beter uit dan in het echt, dacht Kaat bitter. Hij was vast een genie in fotoshoppen.

Hij had om de foto heen geschreven **Ik en mn sgatjuh!**, alsof ze een stelletje waren. Ze had boos naar hem gemaild dat hij dat niet moest doen, maar DJ had gezegd dat het toch waar was – ze was vanaf nu zijn vriendinnetje en als ze niet meewerkte, dan...

Ze was zijn dreigementen meer dan beu, maar voelde dat ze geen kant op kon.

Kaat-wjnmk-Fleur-wjnmk-Fred zegt: je bent r tog geen lid van geworden hè, van die MyClub??? want het is egt niet waar, geloof me nou!

Bloempje11 zegt: oeps. ja dus. ben er lid van!!!!! maar als t niet waar is, waarom staat t r dan? dan is t tog wel waar????? dagt trouwens dat jij en Michael een setje zouden worden??? ik snap er nix meer van.

Kaat-wjnmk-Fleur-wjnmk-Fred zegt: het is gewoon niet waar! ik weet ook niet meer wat ik ermee moet...

Surfdude meldt zich aan.

Surfdude zegt: hi girls!!!

Bloempje11 zegt: hoi!

Kaat-wjnmk-Fleur-wjnmk-Fred zegt: ja, hoi.

Surfdude zegt: whats happening?

Bloempje11 zegt : Kaat heeft verkering tegen haar wil.

Kaat-wjnmk-Fleur-wjnmk-Fred zegt: FLEUR!!!!! Ik heb HELEMAAL GEEN VERKERING!!! hou tog je mond.

Surfdude zegt: o.

Bloempje11 zegt: nou, kan wel wat minder hatelijk hoor, K. t staat r tog? hoe moet iemand dan weten dat het niet waar is???

Kaat-wjnmk-Fleur-wjnmk-Fred zegt: t is gewoon niet waar! DJ verzint het maar.

Bloempje11 zegt: nou, zal wel dan. ga nu eten. bye bye!

Bloempje11 meldt zich af.

Surfdude zegt: wat is er dan aan de hand? heb je wel of niet verkering met iemand die DJ is? dacht dat wij...

Kaat-wjnmk-Fleur-wjnmk-Fred zegt: stop nou eens! ik heb niets met DJ. ik haat hem zelfs! er is gewoon iets, kan er niet over praten.

Surfdude zegt: ?????

Kaat-wjnmk-Fleur-wjnmk-Fred zegt: is nogal ingewikkeld en zo.

Surfdude zegt: maar als je erover wilt praten, kun je wel tegen mij aan praten hoor.

Kaat-wjnmk-Fleur-wjnmk-Fred zegt: bedankt! hoe ging verhuizing?

Surfdude zegt: prima. nu lekker eigen huis, eigen kamer, is wel zo fijn.

Kaat-wjnmk-Fleur-wjnmk-Fred zegt: en Australië? mis je dat niet vreselijk?

Surfdude zegt: ja, maar hier wordt het ook steeds beter.

Kaat-wjnmk-Fleur-wjnmk-Fred zegt: en jouw verkering?

Surfdude zegt: verkering???

Kaat-wjnmk-Fleur-wjnmk-Fred zegt: ja, met die Kylie.

Surfdude zegt: o! dat. uit. eigenlijk al sinds we daar weg zijn, maar wilde het zelf niet egt geloven... nu wel. nu vind ik iemand anders tog wel erg leuk... had je hoop ik wel gemerkt op kamp????? maar we hoeven er niets mee, hoor. zou alleen leuk zijn om wat meer samen te doen. tenminste, dat zou ik leuk vinden... tenzij je iets met die DJ hebt?

Kaat-wjnmk-Fleur-wjnmk-Fred zegt: nee! ik haat hem! hij is vreselijk... maar ik vind jou wel leuk. maar op dit moment ff mn hoofd niet bij dat soort dingen. jongens en zo. kan ik je vrtrouwen???

Surfdude zegt: tuurlijk! tell me, whats up?!

Kaat-wjnmk-Fleur-wjnmk-Fred zegt: dat is het punt, ik kan het niet vertellen. maar ik zit in de problemen, weet niet wat ik moet doen. heb je wel eens op MyFriendz gekeken? er staat een fragment van een filmpje op dat iemand van mij gemaakt heeft... ik weet niet eens waarom ik je dit nu vertel...

Surfdude zegt: dit klinkt serieus. ff geen grapjes meer, wat voor filmpje???

Kaat-wjnmk-Fleur-wjnmk-Fred zegt: wil ik niet zeggen, in ieder geval geen leuk filmpje. en nu dreigt die persoon om alles erop te ztten.

Surfdude zegt: klinkt niet goed, Katie! die persoon, is dat die DJ waar jullie het over hadden?

Kaat-wjnmk-Fleur-wjnmk-Fred zegt: misschien...

Surfdude zegt: je moet t tegen je ouders zeggen!

Kaat-wjnmk-Fleur-wjnmk-Fred zegt: durf ik niet. krijg dan voor rest van leven huisarrest of zo en mag nooit meer op internet. kan egt niet!!!

Surfdude zegt: je moet met iemand gaan praten die je vertrouwt. zegt mn vader altijd.

Kaat-wjnmk-Fleur-wjnmk-Fred zegt: moet jij zeggen. ik heb het gezien...

Surfdude zegt: wat???

Kaat-wjnmk-Fleur-wjnmk-Fred zegt: over eerlijk zijn gesproken... ik zag dat je je ketting bij Sven in tas stopte. eerst stond ik er niet bij stil, totdat jullie ruzie kregen

Surfdude zegt:...

Kaat-wjnmk-Fleur-wjnmk-Fred zegt: dat verdient Sven niet, hoor. vind dat je het op moet biechten.

Surfdude zegt: dacht niet dat iemand t gezien had... waarom zei je niets tegen Sven?

Kaat-wjnmk-Fleur-wjnmk-Fred zegt: omdat ik niet wist waarom je het deed en iedreen wel ns stomme dingen doet...

Surfdude zegt: wilde eigenlk niet dat mn vader de moeder van Sven te leuk ging vinden... ben bang dat hij mijn moeder dan vergeet.

Kaat-wjnmk-Fleur-wjnmk-Fred zegt: jee! ja, dat zou afschuwelijk zijn, maar dan zou je 1s met m moeten praten en zeggen dat je daar bang voor bent...

Surfdude zegt: als ik dat doe, moet jij mij iets beloven...

Na tien minuten zette Kaat haar computer uit. Voor het eerst in weken voelde ze zich iets beter. Ze voelde een fladdertje in haar buik. Michael vond haar leuk. Meer dan leuk zelfs. Het gevoel van eenzaamheid trok een beetje op. Ze dacht aan wat Michael voorgesteld had. Ja, dat was misschien wel de beste oplossing. Het zou moed vergen en als ze eraan dacht, werd het fladderen in haar buik een enorme wervelstorm. Maar ze zag geen andere uitweg. Morgen... de wervelstorm in haar buik zwol aan.

Pap en Annet

'Maar waarom zei je niets dan? Jee Michael, je hebt iemand vals beschuldigd!' Pap keek hem fronsend aan.

Ze zaten op de bank samen televisie te kijken en Michael had opeens gezegd dat hij iets moest vertellen. Zijn vader had stil geluisterd.

'Omdat...' Michael haalde zijn schouders op. 'Ik ben er zelf ook niet trots op.'

'Maar waarom? Probeer dat dan uit te leggen.'

'Omdat... Jij en Annet... en mama...' Michael haalde diep adem. 'Ik zag dat jij en Annet elkaar erg leuk vonden, ik denk dat je verliefd geworden bent...' hij keek even snel naar zijn vader, 'en dat wilde ik niet. Ik was bang dat je dan voor altijd hier zou willen wonen en dat je mama zou vergeten...'

Het bleef een poos stil.

'Ik zal mama nooit vergeten,' zei pap zacht, 'ze was de liefde van mijn leven. En naast mama kan ik van nog iemand houden, iemand als Annet bijvoorbeeld. Zonder dat ik mama zou vergeten. Ik weet niet precies hoe het met mij en Annet zal gaan, we zijn allebei voorzichtig. Zij, Sven en Eva hebben ook het nodige meegemaakt. En jij en ik hebben veel meegemaakt. Ik hoop dat we op een dag met elkaar veel léúks zullen meemaken. Met z'n vijven. Maar niemand neemt mama's plaats in, net zomin als ik de plaats zou innemen van Sven en Eva's vader. We willen het rustig aan gaan doen. Kijken of we toekomst zien samen, en met z'n allen. Dus er is nog geen sprake van dat we permanent in Nederland blijven. Het is wel iets wat meespeelt; de afstand is nogal groot tussen Australië en hier!' grinnikte pap.

'Maar ik hoorde je toch zeggen dat wij eruit moesten? Uit huis?' Michael staarde naar buiten.

'Wat? Wat een onzin. Wanneer heb je dat gehoord?'

'Op kamp... Ik hoorde jullie praten met elkaar, over hoe je het ging vertellen en over het huis uit gaan... ik dacht dat je Sven en mij bedoelde.'

'Nee. Helemaal niet. Annet...' pap zuchtte even, 'Annet had eigenlijk alweer een poos een soort van relatie, met Tom. Maar het was iets waarvan Annet al een tijdje wist dat het niet voor altijd zou zijn. We hadden het erover dat ze hem dat ging vertellen als ze van kamp terug zou zijn en dat hij dan weer al zijn spullen naar zijn eigen huis zou moeten brengen. Gerustgesteld?'

Michael haalde zijn schouders op. 'Best wel.'

'En ik snap dat je niet staat te juichen over een relatie tussen mij en Annet, maar ik hoop wel dat je het een eerlijke kans wilt geven. En dat je me het vertelt als je iets dwarszit.'

Michael knikte. 'Sorry van die ketting. Dat was stom...'

'Ja, en ik wil dat je nu Sven gaat bellen om het uit te leggen.'

'Moet dat?' Maar Michael stond al op. Natuurlijk moest dat, dat wist hij zelf ook wel. En ergens luchtte het op. Hij dacht aan Kaat en hoopte dat zij ook opgelucht zou zijn...

Kinderlokkers op het net

Kaat staarde naar het tafelblad van de eettafel. Het was muisstil. Haar ouders keken haar geschokt aan.

Meester Bas schraapte zijn keel en doorbrak daarmee de stilte. 'Dus Kaat wil graag vertellen waarom ze zich uitkleedde voor de webcam en wat er daarna allemaal gebeurde.' Hij legde even een hand op Kaats arm en kneep er zacht in. 'Toch, Kaat?'

Ze knikte en haalde diep adem.

Michael had haar laten beloven dat wanneer ze het niet aan haar ouders durfde te vertellen, ze ermee naar meester Bas zou gaan. Hij had zelfs voorgesteld om met haar mee te gaan. Dat had ze fijn gevonden, maar ze had hem gevraagd om op de gang te wachten.

Meester Bas, die over de schriften gebogen zat om ze na te kijken, had eerst gedacht dat Kaat over cijfers kwam praten, omdat het de laatste weken niet meer zo goed ging en Kaat vaak afwezig leek; niet met haar hoofd erbij. Hij had haar haperende en hakkelende verhaal met toenemende verbijstering aangehoord, en toen ze klaar was, zijn arm om haar heen geslagen en gezegd dat ze het juiste had gedaan door het tegen hem te vertellen. Hij had voorgesteld om het diezelfde avond samen aan haar ouders te vertellen.

Eerst had Kaat dat niet gewild, maar hij had haar ervan overtuigd dat er geen andere mogelijkheid was en dat, om DJ te stoppen, ze eerst haar ouders moest vertellen wat er gebeurd was.

En daarom zaten ze nu hier.

Kaat begon langzaam te vertellen. Over MyFriendz. Over dat er nooit iemand thuis was toen pap in het ziekenhuis lag en ze zich eenzaam had gevoeld. Ze vertelde over DJ, die haar aan het lachen maakte en die zei dat ze zo mooi was. Over Chloe en hoe die er misschien voor kon zorgen dat Kaat ook model kon worden. En hoe Chloe had gezegd dat ze dan even voor de webcam moest gaan staan. Eerst in haar ondergoed en daarna zonder.

'En jij geloofde haar?! Hoe stom kun je zijn!' brieste pap.

'Ik geloof dat het voor Kaat erg moeilijk is om dit te vertellen,' zei meester Bas. 'Misschien is het beter als ze eerst haar verhaal kan afmaken.'

Kaat knipperde haar tranen weg. Haar hele gezicht gloeide en ze durfde haar ouders niet aan te kijken. Zacht ging ze verder.

Over alle aandacht die ze opeens had gekregen op MyFriendz. Over hoe DJ had voorgesteld dat ze elkaar eens zouden ontmoeten. Hoe ze er toen achter kwam dat hij en Chloe dezelfde persoon waren; dat hij helemaal geen zus had en dat hij alles wat zich voor de webcam had afgespeeld, gefilmd had met zijn mobiel.

'Verdomme!' vloekte pap en hij sloeg hard met zijn hand op tafel. 'Kaat, hoe kon je zo stom zijn?!'

Kaat barstte in tranen uit.

Haar moeder stond op en ging naast haar zitten. Ze sloeg haar armen om Kaat heen en huilde zacht mee. 'Wat vreselijk. Wat erg voor je!' zei ze snikkend en ze aaide Kaat over haar haren. 'Waarom heb je niets gezegd?'

'Dat durfde ik niet...' snikte Kaat.

'Nee, logisch. Je wist dat we boos zouden zijn!' riep haar vader.

Kaats moeder keek hem kwaad aan. 'Hou toch op! Dit heeft Kaat toch nooit zo gewild? Ze is gewoon erg naïef geweest en heeft zich laten belazeren. Het is al erg goed van haar dat ze Bas in vertrouwen heeft genomen.'

Kaat slikte. 'Maar dat is nog niet alles...' fluisterde ze en ze vertelde verder. Over hoe DJ nu vond dat ze alles maar moest doen wat hij zei, omdat hij anders het filmpje op YouTube zou zetten.

Toen Kaat klaar was, liet ze haar hoofd op haar armen vallen en huilde lang. Pap zat met een nors gezicht naar haar te kijken. Mam

schoof wat zakdoeken naar haar toe en streelde haar rug.

'Ik vind,' zei meester Bas, 'dat het knap is dat Kaat de moed heeft gevonden om het te vertellen. Ze voelde zich heel erg bedreigd en heeft het toch gedurfd. Ik begrijp uw boosheid heel goed, maar die zou vooral gericht moeten zijn op die DJ. Kaat is, ook al was ze inderdaad naïef, wel slachtoffer van hem en zijn gladde praatjes geworden. En als ik me niet vergis, begrijp ik uit het verhaal dat Kaat een computer op haar slaapkamer heeft, met een webcam.'

'Ja, en?' Haar vader keek meester Bas aan, maar Kaat hoorde aan zijn stem dat de woede afnam.

'Niet om het een of ander, maar het is algemeen bekend dat wanneer kinderen een pc op hun slaapkamer hebben of wanneer er een pc op zolder staat, er geen toezicht is op wat ze doen. En een webcam op een slaapkamer is vragen om problemen.'

'Nou wordt-ie mooi! Straks hebben wij het gedaan!' riep pap.

Kaat kromp ineen.

'Nee, maar u draagt er wel toe bij dat dit gebeurd is. Kinderen die zonder toezicht mogen computeren, komen vaak op allerlei ongewenste sites, komen in aanraking met mensen die niet altijd het beste met hen voorhebben. Soms doen volwassenen zich voor als kinderen en gaan dan met kids chatten, en voor je het weet, gebeuren dit soort dingen. Het is voor ouders best lastig, dat internet. Ze zijn er zelf niet mee opgegroeid en weten niet altijd wat ze ermee moeten, of ze denken dat het wel meevalt. Maar dat is niet zo. Wij als school adviseren ouders altijd om de computer centraal neer te zetten, waar er een oogje in het zeil gehouden kan worden. Dat is voor de kinderen zelf ook veel veiliger, dan kunnen ze meteen om hulp vragen als er iets is wat ze niet begrijpen of wat ze niet willen zien.'

Kaat was inmiddels wat gekalmeerd.

Haar moeder streelde nog steeds haar rug. 'Je hebt gelijk...' zei mam zacht, 'wij zijn altijd bezig met ons werk. We hebben Kaat en

Luuk behoorlijk aan hun lot overgelaten. En dat van die computers en webcams op slaapkamers, daar heb ik nooit zo over nagedacht. Ik dacht dat de kinderen daar zelf wel goed mee om zouden gaan...'

'Zie die webcams maar als digitale kinderlokkers,' zei meester Bas, 'en de pc als een donker bos. Je zou je kind ook niet zomaar zonder begeleiding een donker bos in sturen.'

'Nee!' zei mam resoluut. Ze zuchtte. 'Die computers moeten naar beneden. En die webcams ook. Maar dat lost nog niet Kaats probleem op. Wat gaan we nu doen?'

'Daar hebben meester Bas en ik al over nagedacht,' snifte Kaat. 'We hebben misschien wel een plan...'

Een goed plan

DJ15 zegt: hey sgatjuh!!! je was een paar daagjes niet online, hoezo??

Snoepie12 zegt: was niet lekker. verkouden.

DJ15 zegt: o, dagt al... was ff bang dat ik een filmpje moest uploaden! ha ha! wat doe je dit weekend?

Snoepie12 zegt: hockey en dan niet zo veel.

DJ15 zegt: zullen we wat afspreken? film of zo? o nee, vergeet dat jij niet zo van films houdt...

Snoepie12 zegt: dat mag ik tog niet van mijn ouders. mag niet zomaar weg.

DJ15 zegt: daar moet je eens aan werken. laat die rotouders tog. zouden wel in park af kunnen spreken morgen na school, net als vorige keer.

Snoepie12 zegt: ja, zou kunnen.

DJ15 zegt: neem jij deze keer wat te drinken mee? mn vrienden vinden je trouwns te gek... iedereen wil wel zo'n vriendin!

Snoepie12 zegt: zal wel. vind het heel erg dat je dat filmpje laat zien.

DJ15 zegt: ach, is gewoon geinig. maak je er niet te druk om, zolang jij maar gewoon doet wat ik wil, zullen niet héél veel mensen dat filmpje zien. maar dan moet je wel doen wat IK wil. je zult zien dat jij en ik het erg leuk kunnen hebben samen. over leuk gesproken, doet je webcam t weer???

Snoepie12 zegt: nee, kapot.

DJ15 zegt: jammer. wilde weer leuke 'pyjamaparty' met je houden.

Snoepie12 zegt: kan niet. ik moet gaan nu.

DJ15 zegt: morgen om vier uur bij ons bankje. niet vergeten, en op komen dagen hoor! anders moet ik toch echt...

Snoepie12 zegt: ja, tot dan.

DJ15 zegt: doei liefje! xieje snel. zoentjes van mij.

DJ15 geeft knuffel aan Snoepie12.

DJ15 geeft handkus aan Snoepie12.

Snoepie12 meldt zich af.

Maar voordat ze zich afmeldde, kopieerde Kaat het hele gesprek, precies zoals meester Bas haar had geleerd. Ze printte het uit en sloot toen de computer af.

'Dat was erger dan ik dacht...' zei haar moeder, die al die tijd zwijgend naast haar had gezeten. 'Wat is dat een afschuwelijk iemand! Ik moest me inhouden om niet het toetsenbord van je af te pakken en hem eens even flink de waarheid te, eh... mailen. Of chatten of zoiets. Maar ja, dan krijgen we hem nooit te pakken.'

Kaat knikte. Ze gaf het geprinte papier aan haar moeder.

Kaat liep langzaam het park in en keek zo onopvallend mogelijk rond. Ze zag niets. DJ was er nog niet. Ze zuchtte en liep naar het bankje. Op het bankje ernaast zat iemand de krant te lezen. Hij liet de krant een klein stukje zakken en keek naar Kaat. Daarna las hij onverstoorbaar verder.

'Hoihoi!' DJ kwam aangeslenterd en plofte naast haar neer. Hij boog voorover en zoende haar op haar wang. Hij rook naar vette baklucht.

Automatisch trok ze zich terug en wreef met haar mouw langs haar wang. Verdorie! Als alles maar ging zoals afgesproken.

'Nou, niet zo vijandig, zeg! Ik ben je vriendje, ik mag je toch wel op je wang zoenen? Kom, zoen mij ook even op mijn wang.' Hij blies één wang bol en boog naar haar toe.

'Nee!' Kaat keek hem met een vies gezicht aan. 'Ik ga niet zoenen.' Ze kon haast niet geloven dat ze hem ooit aardig had gevonden. Maar op MyFriendz was hij heel anders geweest.

'Jawel. Want anders...' Hij haalde zijn mobiel weer uit zijn zak en zwaaide ermee voor haar neus. 'Kom op, een klein zoentje maar.'

Kaat keek om zich heen.

'Wat? Kijk je of niemand het ziet? Nou, anders kom je de volgende keer toch gewoon bij mij thuis langs, dan zijn we lekker alleen en...'

Voordat hij uitgesproken was, stond de man van het bankje ernaast opeens bij hem. Het was meester Bas. Hij pakte DJ bij zijn arm.

Kaat zag vanuit haar ooghoeken dat haar moeder aan kwam lopen vanuit het theehuis achter hen samen met meester Willem van groep 6.

'Hé! Man, blijf met je handen van me af!' riep DJ en hij probeerde te gaan staan. 'Wat moet je?!'

'Gaat het, Kaat?' vroeg meester Bas en hij keek haar aan.

Ze knikte.

'Wat??? Hoezo, "gaat het Kaat?"?! Waar ken je deze idioot van? Wat heb jij hiermee te maken?' DJ keek haar woedend aan en probeerde ondertussen los te komen, maar nu pakte meester Willem, die inmiddels was gearriveerd, zijn andere arm beet.

'Ik ben de onderwijzer van Kaat,' zei meester Bas, 'en dit zijn een andere leerkracht en haar moeder. Wij nemen je mee naar het politiebureau om aangifte te doen. Hier, ik neem je mobiel wel.' Meester Bas pakte de telefoon uit DJ's hand. 'Kom maar mee. Op het bureau kun je iemand bellen. Niet met deze mobiel trouwens, die wordt bewijsmateriaal.'

Kaat was opgestaan en zag hoe nu ook haar vader uit het theehuis kwam lopen. Hij hinkte nog steeds een beetje en leunde op een wandelstok. Ze merkte opeens dat ze trilde. Gelukkig, het was goed gegaan. Ze kon wel huilen van opluchting. Pap stond naast haar en legde een arm om haar heen. Kaat slikte.

'Prima gedaan, hoor Kaat,' zei meester Bas. 'Zeker in combinatie met dat gesprek dat je geprint hebt. Daar weet de politie vast wel raad mee. Die zorgen wel dat hij gestraft wordt en dat zijn filmpje uit de lucht wordt gehaald.'

Kaat zag hoe DJ haar vol ongeloof aankeek. Alsof hij niet kon geloven dat hij er zo in geluisd was... Nou, dacht Kaat, daar had hij dan maar eerder aan moeten denken, voordat hij háár erin had geluisd. Dit was zijn verdiende loon.

'Kom,' zei pap, 'we gaan naar huis. Luuk wacht thuis op ons.'

Een publiek van dertigduizend mensen

Iedereen praatte opgewonden door elkaar. Fleur, Frederique, Sven, David en Michael stonden om het tafeltje van Kaat heen en iedereen vroeg of zei wat.

'Werd-ie in de boeien geslagen?'

'Slim van je om dat gesprek te printen.'

'Gaat hij nou de gevangenis in?'

Meester Bas klapte even in zijn handen. Niemand reageerde. Hij pakte lachend zijn kampfluitje en floot heel hard.

De klas keek hem verbaasd aan.

'Zo! Stelletje lawaaipapegaaien. Op jullie bipsen. Zitten!'

'Niemand zegt meer "bipsen"!' riep Pieter en hij keek meester Bas hoofdschuddend aan.

Carmen grinnikte.

'Da's waar. Op jullie zitvlees dan maar. Nee, even serieus. We gaan het hebben over wat zich afgelopen vrijdag heeft afgespeeld in het park met Kaat. Kaat, wil jij eerst vertellen wat er is gebeurd?'

Kaat knikte en begon.

Iedereen luisterde muisstil.

'...en toen hebben meester Bas en meester Willem hem naar de politie gebracht. Zijn ouders zijn ook naar het bureau geroepen. Er wordt een zaak van gemaakt of zo; hij krijgt volgens de politie in ieder geval straf. Zijn mobieltje is ingenomen als bewijs en zijn computer is thuis opgehaald.'

'Mag dat dan zomaar? Je kunt toch niet iemands computer meenemen?' vroeg Emma.

'Jawel, dat mag. Dat heet "inbeslagname" en dat doet de politie als ze denken dat er belastend materiaal op je computer staat, dus dingen die niet mogen of die bewijzen dat je iets hebt gedaan wat niet mag,' verduidelijkte meester Bas.

'De politie is ook nog even bij ons langs geweest,' ging Kaat verder. 'Ze vertelden dat ze op DJ's computer nog meer van dit soort dingen hebben gevonden. Hij had blijkbaar al eens eerder zoiets uitgehaald bij een meisje. Zij heeft nooit aangifte gedaan, dus nu gaat de politie bij haar langs, dan kan ze misschien ook aangifte doen tegen DJ. En krijgt hij een hogere straf.'

'Mag je nu nog wel op de computer?' vroeg David.

'En de webcam, die is zeker weggegooid?' zei Tim.

'Nou, ik mag nog gewoon achter de computer. Hij staat nu alleen beneden, waar mijn ouders er ook zicht op hebben,' vertelde Kaat.

'Hè bah! Ouders die meekijken over je schouder. Vreselijk!' zei Roos.

'Luuk – mijn broer – was er ook niet blij mee...' grijnsde Kaat, 'maar hij begrijpt het wel. En het is niet zo dat ze nu de hele tijd alles meelezen, hoor. En voor mij is het wel fijner, het is ook gezelliger om in de woonkeuken te zitten. En als er iets gebeurt op internet wat ik niet wil, kunnen ze meteen meekijken. De webcam mag ook gewoon nog aan; maar alleen bij mensen die ik in het echt goed ken en niet bij mensen die ik alleen via de computer ken. Want die zijn misschien wel helemaal niet wie ze zeggen dat ze zijn.'

'Maar hoe weet je nou of je iemand kunt vertrouwen op internet?' Meester Bas keek de klas rond. 'Weet iemand dat?'

Iedereen schudde zijn hoofd.

'Je moet mensen met wie je chat, persoonlijk kennen. Dan is het veilig en kun je ze vertrouwen!' zei Carmen.

'Ja, maar stel nou dat jij en ik goede vrienden zijn. En jij vertrouwt mij. Maar dan krijgen we ruzie en zijn we geen vrienden meer. Dan kan ik alles wat ik van jou heb – je geheimen, foto's die ik van je gemaakt heb of filmpjes – zomaar op internet gaan zetten om je dwars te zitten,' zei meester Bas.

De klas mompelde instemmend.

'Maar hoe ga je dan met internet om?' Frederique keek meester Bas vragend aan. 'Want dan is het niet leuk meer, als je niets zou kunnen doen. Als je geen grappige foto's of zo erop zou mogen zetten. En dat is nou juist zo leuk aan internet.'

'Natuurlijk kan dat nog wel. Maar je moet het zo zien: stel je voor dat je op een podium staat voor een immens grote concertzaal met wel dertigduizend bezoekers die allemaal naar jou kijken. Wat zou je dan laten zien? Zou je foto's van jezelf in bikini – of nog minder – tonen? Zou je willen dat iedereen in die zaal weet op wie je stiekem verliefd bent? Of dat je zo'n hekel aan je leraar hebt? Zou je willen dat al die mensen weten waar jij woont? Zou je ze wachtwoorden van jezelf, waarmee je inlogt op al je sites, toevertrouwen?'

'Nee!' riep de klas bijna in koor.

'Nou, dan is het duidelijk. Internet lijkt misschien iets wat zich alleen in je eigen kamer of op school of thuis afspeelt, maar de hele wereld kan meekijken. Ook al scherm je je privéfoto's nog zo goed af – bijvoorbeeld zó dat alleen je vrienden ze kunnen zien – dan nog is het een makkie om die foto's ergens anders op te zetten. Bedenk altijd dat er duizenden mensen mee kunnen kijken. Misschien niet rechtstreeks, maar er zijn veel manieren om informatie van iemand te "stelen".' Meester Bas liep wat heen en weer. 'Het is niet zo gek om een computer op een centrale plaats in huis te hebben. Computeren wordt dan ook meer iets sociaals, anders zit je maar de hele tijd op je kamer. En waarom zouden je ouders niet mogen zien wat je doet?'

'Gewoon, dat wil je toch niet?!' riep Joris.

'Nou, waarom niet? Doe je dingen waarvan je weet dat het niet mag? Surf je naar sites waarvan je weet dat ze het niet willen? Wie van jullie gaat wel eens naar sites waarvan je weet dat je ouders het echt niet willen?'

Een heel stel kinderen stak aarzelend een vinger op.

'Goed, ongeveer twaalf kinderen. Daar tel ik nog eens zes bij op die het nu niet durven te vertellen,' zei meester Bas en hij keek de klas rond. 'Want zo werkt het. Maar je ouders willen niet voor niets dat je niet naar die sites gaat. Het zijn vaak sites met geweld of seks of waar je kunt gokken of wat dan ook. Dat kan heel bedreigend zijn. Je bent nog niet oud genoeg om goed met de informatie van die sites om te gaan. Fleur, heb jij al je rijbewijs?'

Fleur keek op en lachte. 'Nee, natuurlijk niet.'

'O? En waarom niet?' Meester Bas trok zijn wenkbrauwen op.

'Omdat ik daar nog... o, ik snap hem al. Omdat ik daar te jong voor ben!' lachte ze.

'Precies. Het zou veel te gevaarlijk zijn om jullie volledig aan het verkeer deel te laten nemen in een auto. Je hebt nog niet het overzicht over alle verkeersregels en je kunt situaties nog onvoldoende inschatten. Zo is het ook met surfen op internet. Dat is geweldig, ik zit er zelf ook graag op. Maar er zijn soms ook dingen waar jullie voor behoed moeten worden, waar ouders je voor moeten beschermen.'

'Maar wat nou als je, zoals Kaat, opeens wel in een vervelende situatie terechtkomt? Wat moet je dan doen?' Roos keek op.

'Iemand in vertrouwen nemen,' zei Sven.

'Niet meer op die websites komen,' zei David.

'Ja,' antwoordde meester Bas, 'het belangrijkste is dat je iemand in vertrouwen neemt; een volwassene die je kan helpen. Dat kunnen je ouders zijn, maar als je dat niet durft een leerkracht, opa's en oma's of, als je er echt niet uit komt, iemand van de Kindertelefoon of stichtingen die er zijn om jullie te helpen. Kaat heeft dat goed opgelost. Ze is naar mij gekomen en samen zijn we naar haar ouders gegaan. Probeer het niet alleen op te lossen, jongens! Als je, om even terug te komen op het voorbeeld, met een auto de weg op gaat en je rijdt hem in de prak, kun je hem niet alleen wegslepen. Dan heb je altijd anderen nodig om je te helpen. Ook al weet je dat die anderen boos gaan worden omdat jij een auto in de prak hebt gereden. Nou, genoeg over dit onderwerp. Het is...' hij keek op zijn horloge, 'over tien minuten pauze, maar van mij mogen jullie al naar buiten.'

Mates!

'We gaan een etentje geven,' zei pap en hij keek Michael aan, 'om te vieren dat we een eigen huis hebben. Ik wilde opa en oma uitnodigen. En Annet, Sven en Eva. Wat vind je ervan?'

Michael keek verrast op. 'Leuk. Maar mag Kaat ook komen?'

'Kaat?' Plagend keek zijn vader hem aan. 'Je bedoelt de Kaat met wie je bijna iedere dag even chat? En die via de webcam naar je zwaait? Soms zwaaien haar ouders ook mee. Die Kaat?'

Michael grijnsde en stompte zijn vader even liefdevol tegen zijn arm. 'Pahap! Ja, die Kaat. We hebben een beetje verkering.'

'Een beetje verkering? Nou, vooruit dan maar. Nog anderen?'

'Misschien Fleur. Dat is de vriendin van Sven en dat is voor Kaat wel zo leuk.'

'Prima. Nog meer?'

'Nou... misschien David. En dan ook Frederique, dat is de beste vriendin van Fleur en Kaat.'

'Nou, lijkt me leuk. Wat zullen we eten?' Pap stond op en pakte papier en pen.

'Iets Australisch,' stelde Michael voor. 'Bananenbrood. Een barbecue. Als er iets echt Australisch is, is het barbecueën.'

Pap keek uit het raam. Het was inmiddels echt herfst, de bomen verloren langzaam hun blad. 'Tja... op het balkon zouden we wel een barbecue neer kunnen zetten. Oké, en dan lekker bananenbrood, en we maken cupcakes en wat dacht je van een coleslaw? En dan...'

Buiten was het al donker. De schuifpui stond open en pap stond met David bij de barbecue. Ze roosterden gemarineerde kippenvleugels, steaks en hamburgers. Opa en oma zaten op de bank en kletsten wat met Annet. Oma leek haar wel te mogen, zag Michael.

Hij schonk de glazen vol. Pap had punch gemaakt van allerlei vruchtensappen. Ze hadden muziek van thuis opgezet, Australische bands. Michael keek naar Kaat.

Ze had een rokje aan, een legging en laarzen, en een leuke trui. Ze kletste met Fleur en Frederique en keek even op. Ze keek hem aan en glimlachte breed.

Hij grijnsde.

Sven kwam naast hem staan. 'Moet ik ook wat dragen?' vroeg hij.

Sinds Michael hem gebeld had om zijn excuses aan te bieden voor de ketting, hadden ze nog niet veel tegen elkaar gezegd. Vanavond was eigenlijk de eerste keer dat ze weer normaal tegen elkaar deden.

'Graag.' Michael overhandigde hem twee glazen.

'Ik denk dat jij en ik nog vaak met elkaar opgescheept gaan worden...' zei Sven en hij knikte met zijn hoofd naar Michaels vader en zijn eigen moeder. Ze lachten allebei om een opmerking van David, en Paul legde even een hand op Annets rug.

Michael zuchtte. 'Ja. Denk ik ook. Is wel even wennen voor me.'

'Voor mij ook,' zei Sven. 'Dus laten we maar gewoon zien hoe het loopt.'

'Oké.' Michael keek op zijn horloge. 'O! Bijna tijd.'

'Waarvoor?' Sven keek hem aan.

Michael grijnsde. 'Voor my mates from Down Under!' riep hij en hij liep naar de computer. Hij keek even naar de foto van mama, die naast het beeldscherm stond. Wat zou ze dit gezellig hebben gevonden! Even voelde hij zich triest, maar toen haalde hij diep adem. Ze zou ook willen dat hij het nu gezellig had, en niet dat hij in een hoekje zou zitten te kniezen. Hij startte de computer op.

Frederique en Kaat kwamen naast hem staan.

'Gezellig. Ga je nou opeens internetten?!' riep Frederique quasiboos uit.

'Nee. Tuurlijk niet, jullie zijn er toch? Maar ik wil jullie graag voorstellen aan een van mijn beste vrienden, Drew. Hij zou opblijven vannacht, had hij aan zijn ouders gevraagd. Samen met Kylie, dat is een goede vriendin. En dan zou ik de webcam aanzetten en dan zien we elkaar allemaal even.' Hij klikte op allerlei icoontjes en zette de webcam aan.

Iedereen kwam rond het scherm staan. Aan de andere kant verschenen opeens ook een aantal gezichten.

'Kijk! Dat is Drew!' riep Michael.

Drew zwaaide.

'En Kylie. En Drews broers en zijn ouders.'

Iedereen zwaaide nu naar iedereen. Over en weer werd er van alles geroepen.

'Wow, Mike! **Good to see you**!'

'**Gonna introduce us to your friends, mate**?'

Michael keek rond. Dit waren nu zijn vrienden en zijn familie. En door de webcam bleef hij ook nog deel van zijn vrienden en familie in Australië. Hij voelde zich opeens heel erg blij.

'Okay!' zei hij. 'En nu allemaal zwaaien naar my mates en zeg maar "Cheese!" '

'CHEESE!' riep iedereen lachend.

The End. Good day mates. CU next time.

Stichting De Kinderconsument komt op voor kinderen als het gaat om internet en mobieltjes. Daarom wilden we graag meewerken aan dit boek van uitgeverij Kluitman. Nu je het verhaal hebt gelezen, vraag je je vast af wat je kunt doen om te voorkomen dat er met je mobieltje iets rampzaligs gebeurt! We geven de volgende tips:

Mobieltje of prepaid/abo kopen?
Eerst kijken, dan kopen. Bespaar flink veel geld door mobiele providers te vergelijken. Raak niet verblind omdat je een bepaald toestel leuk vindt. Kijk eerst rond. Informeer voordat je een toestel en/of abonnement koopt. Kijk op: **www.bellen.com**

Les op school over mobieltjes?
Doen! Overtuig je juf of meester dat er niets leukers bestaat dan les krijgen over mobieltjes. De Kinderconsument heeft een speciaal lespakket gemaakt: Pimp Je Foon. Het bestaat uit een werkschrift en voor elke leerling een stoer keycord. Ook voor leerlingen die geen gsm hebben zijn de lessen leuk! Meer Info en een leuke quiz vind je op **www.pimpjefoon.nl**

Les op school over media?
Er is gratis lesmateriaal over media. Vraag je leerkracht ernaar te kijken en het te downloaden! De lessen eindigen met het halen van een écht Diploma Mediawijsheid. Het materiaal is gemaakt door stichting Media Rakkers. **www.mediarakkers.nl**

Gepest via jouw mobieltje
Tip 1. Word je gepest via jouw mobieltje maar weet je niet wie dit doet? Bel de helpdesk van jouw mobiele provider. Deze vind je op de website van je mobiele provider.
Tip 2. Word je gepest via je mobieltje en weet je wie het doet? Los het niet alleen op, maar neem anderen in vertrouwen. Zoals vrienden, leerkracht, ouders. Stap samen naar de dader of zijn/haar leerkracht en ouders toe.
Tip 3. Lukt het niet om het pesten te stoppen? Laat jouw telefoonprovider het nummer van de dader blokkeren. Bel de helpdesk. Of neem desnoods een ander nummer. Geef dit nieuwe nummer

voortaan alleen aan jouw échte vrienden en vriendinnen!

Praat over pesten
Bel of chat met de Kindertelefoon: **www.kindertelefoon.nl**

Dure sms of ringtones?
Tip 1. Kijk altijd eerst waar je je op abonneert: lees de kleine lettertjes! Vaak moet je meer betalen dan je in eerste instantie denkt.
Tip 2. Ben je erin gestonken of wordt het je te duur? Zeg de sms-dienst af! **www.smsafzeggen.nl** of **www.consuwijzer.nl**
Tip 3. Lukt het niet? Klaag bij de Consuwijzer. **www.consuwijzer.nl** Of bel: 088 - 0 70 70 70
Tip 4: Meld jouw mobiele nummer aan op de site **www.smsdienstenfilter.nl** en blokkeer betaalde sms abonnementsdiensten.
Tip 5: Nóg sneller is om de tekst **FILTER AAN 5509** te sms'en aan het nummer 5509. Doen! Dit voorkomt dure sms'jes!

Mobiel internetten?
Als je op jouw mobieltje kunt internetten, bedenk dan dat dit vaak veel geld kost. Mobiel chatten, downloaden, surfen enzovoorts zijn duur. Kijk hoe je abonnement of prepaid in elkaar zit, en laat je niet verrassen door een torenhoge rekening! Vergeet nooit: alles wat je met je mobieltje doet, moet ook worden betaald.

Jouw mobieltje gestolen?
Zet altijd een wachtwoord op je mobiel. Zo kan de dief er niets mee als je mobieltje gestolen wordt. Zet je mobieltje vaak uit, want als-ie altijd aan staat, hoeft een dief ook geen wachtwoord in te tikken! Als je mobieltje gestolen is, laat dit meteen weten aan de klantenservice van jouw mobiele provider, zodat ze je nummer kunnen blokkeren. Anders belt de dief op jouw kosten...

Is jou iets naars overkomen?
Is er iets vervelends gebeurd? Ben je slachtoffer? Zoek hulp. Bel slachtofferhulp. Er is een speciale kinderwebsite: **www.ikzitindeshit.nl**